JN076668

古代日向・神話と歴史の間

北郷泰道 著

みやざき文庫50

歴史を散策する――序にかえて

埴輪の憂鬱

宮崎空港に降り立って、あるいは通勤の行き帰り、または橘通りを通る時、憂鬱になることがある。そこでは、武人埴輪が出迎えをしてくれ、人物埴輪がアーケードの柱を賑わしている。その幾つかについては、企画・製作などに携わった担当者を知っていたので、後の祭りであったが物申したことがある。始める前に相談してくれていたら、と忸怩たる思いもあった。しかし、それよりも、相談するも何も、みんなの中に強烈なイメージが出来上がっているのだ、と思う。

埼玉県熊谷市野原古墳群出土の「踊る埴輪」

あの愛嬌のある「踊る埴輪」は、埼玉県の野原古墳群（熊谷市）から出土した。古墳の所在する旧江南町では、町おこしの象徴としていた。また、

「武人埴輪」は多様な種類があるが、短甲を身につけた端整な顔立ちのそれは、同じく熊谷市の中条古墳群からの出土である。ちなみに、華麗な馬具類を装備した、多くの人々がすぐ思い浮かべるであろう「馬形埴輪」も同古墳の出土である。

そして宮崎県、ここ五年程前までは、全体像を知りうる人物埴輪や動物埴輪は一つとして存在しなかった、と断言する。衣の一部や手の部分、動物埴輪の顔とおぼしき一部や足の部分など、断片的な破片が出土しているに過ぎなかったのである。確かに、重要文化財に指定された西都原古墳群（西都市）出土の子持家形埴輪と舟形埴輪の存在感は強烈である。だからといって、多くの形象埴輪（人や物を象った埴輪の総称）が出土しているわけではないのだ。

宮崎県内出土で５年程前までに知られていた形象埴輪片（右上：犬か猪の顔の一部、左上：人物埴輪の手の部分、中央：円筒状の動物の足）

だから、一九九七（平成九）年に始まる新田原－祇園原古墳群（新富町）の一つ、百足塚の発掘調査で、人物埴輪を含む多種多量の形象埴輪が出土したことは、考古学を研究してきた私たちにとっても大きな驚きだった。宮崎県出土の全体像を現した人物埴輪に、初めてお目にかかったのだから。その全容が明らかになったのは、二〇〇二年のことであった。地域の歴史は、個性を持っている。個性的な踊る埴輪が個性的な地域から出土したように、宮崎県出土の人物埴輪も、また個性に満ちていた。

土産物の埴輪は、新婚旅行ブームも相まって、広く宮崎県を代表する品目（アイテム）となった。その製作を手がけられた本部マサさんは、西都市出身で少なからず大正時代の西都原古墳群の発掘調査の影響を受けた。そして、製作したそれぞれの埴輪がどこの出土であったのかを十分認識していた。彼女は、深く埴輪について勉強をしていたし、何よりも自分の作品が全国から出土した埴輪の模倣であることの自制を持っていた。問題は、それを何時の間にか、実際に宮崎県で出土したものだと、多くの人々が誤解し始めたことにある。

このように誤解や先入観を解いて、歴史を正しく認識することは、案外難しいのだ。もちろん、その責任の一端は私たちにある。「日本のふるさと」「神話のふるさと」と口をついて出るが、それではどういう歴史の実態があるのかを問えば、「西都原古墳群があって……」と言葉を失う。イメージはあるが実態が伴ってこないのである。

屈折した想い

今から三十年ほど前まで、宮崎県の考古学は遅れていた。あるいは、埋蔵文化財保護行政が立ち遅れていたと言った方がよいかも知れない。遅れた原因は、『古事記』『日本書紀』に発する

「日向神話」だと断定してもよい。

江戸時代に水戸黄門こと徳川光圀は、栃木県の上侍塚（かみさむらいづか）・下侍塚（しもさむらいづか）（大田原市）を発掘調査したが、明治時代に諸外国から輸入された学問の一つとして、日本における本格的な考古学は出発した。その黎明期、大正時代初年から始まった西都原古墳群の発掘調査は、古代の天皇の存在に抵触する可能性を持つ古墳の発掘調査に慎重であった時代において、初めての本格的な古墳の発掘調査として「日向神話」を証明する意図をもって企画された。つまりは「皇祖発祥の地」の古墳文化を明らかにすることが、日本の国の成り立ちを実証付けることにつながると考えられたのである。

しかし、当時の学問水準から、その意図は成功しなかった。むしろ、否定的な材料を得ることで終わった。考古学による「実証」は、パンドラの箱にな

大正元年からはじまった西都原古墳群発掘調査。日本における初めての本格的な古墳発掘調査であった

り、しかし問わないことで「神話」の命脈の保持が図られたのである。

　戦後、宮崎県の観光の振興に当たった岩切章太郎さんは、「大地に絵をかく」と言った。彼は、そうしたトラウマに拘泥することを避けて、南国を印象付けることで、恐らく「皇祖発祥の地」の呪縛から宮崎県の観光を解き放ちたかったのだ。しかし、一つだけ等閑視したことがある、と私は思う。それは、その大地が真っ白なキャンバスではなかったことである。そこには様々な色で塗られた確かな歴史が、厳然として存在するのである。娯楽施設（アミューズメント）は、作られたその日から一日一日古びて時代遅れとなる。しかし、歴史は、日々を重ねる毎にますます深みと重要性を増していく、そういうものである。

　今から三十年ほど前まで、宮崎県内の大学に定着した考古学研究者はいなかったし、県・市町村を含めて行政に採用された考古学の専門職員も一人もいなかった。一九八〇年、激しくなる開発の足音を前に、初めて県に専門職員が採用された。全国では、専門職員数が都道府県だけで大台を超えて一〇四一名に、市町村職員も八八九名と、合計一九三〇名となった年であったのだが。そのきっかけは、宮崎大学の移転に伴う宮崎学園都市遺跡群の発掘調査であった。以来、宮崎県埋蔵文化財センターを発掘調査の拠点として多くの考古資料が蓄積され、そして宮崎県立西都原考古博物館を考古学情報の集積と発信拠点として持つまでになった。今では、県と市町村を合わせて百名を超す人的体制も整っている。

しかし、まだ三十年そこそこなのである。屈折した神話と歴史の狭間があるのだ。

だが、本書で明らかにするように、今日の考古学の蓄積は、既に神話的世界に対して、考古資料が描き出す歴史事実の世界を確実なものとしてきた。もはや、戦前のように「皇国史観」へのぶれは起こりえないところまで豊富な蓄積がもたらされている。逆に歴史叙述の暇もないほどに、原資料が溢れ出してしまっていることの方が、大きな問題だと思う。叙述することによって初めて歴史認識となる以上、原資料から歴史を紡ぎ出す営みを絶え間なく続ける必要がある。本書は、そうした営みの一つである。

歴史の深い森に

1の章には、一九九七年の一月から十二月までおおよそ週一回として、宮崎日日新聞に四十回連載した「考古学の散策道」を、新たな写真・図面等を加えて収録した。
南九州に視点を据えて、旧石器時代から中近世までを対象として、一回読み切りとした。各時代の要点を摘出し、南九州の歴史の全体像を伝えることを目指したので、各種の講座や大学での講義のテキスト代わりとしてコピーして活用するなど、私自身重宝してきた。また、宮崎県立西都原考古博物館を構想・計画し、設計を進める際にも、プロジェクトチームのテキストとして、まずこの内容を共有することから始めた。謳い文句ではなく、本質的な意味での地域のアイデンティティーを私たちから発信するために、即物的に設計を進めるというより、共通理解を求めつつ新しい発想を出し合ってはもがき続ける日々であった。決して、そうした作業は無駄ではなかったと思う。今、展示の骨格となっている。

連載から十年ほどの歳月が過ぎたとはいえ、内容に大きな修正等を加える必要を感じない。しかし、この間にも新たな成果が蓄積されている。また、連載の枚数等の制限から触れることの出来なかった事などを補筆した。

2の章には、二〇〇五年から六年にかけて宮崎サンシャインエフエムのフリーペーパー『ONAIR』に連載した「古代日向の歴史散策─神話と歴史の間─」を再編集のうえ加筆して収録した。なお、「木花開耶姫の考古学」と「『日本神話』を解く鍵」は新たに書き下ろし、「雄略天王と眉輪王の考古学」は、連載の最終回として書き上げたが、都合により活字化していない一文である。

3の章には、西都原古墳群の盟主墳、陵墓参考地男狭穂(おさほ)塚・女狭穂(めさほ)塚の測量調査・地中探査の成果について、宮崎日日新聞に折に触れて掲載した文章を中心として、写真・図面を加え補筆して構成した。

これらは、特に「日向神話」の位置づけを正確に理解し、歴史的事実との関係を明確にしておく必要がある、と切実に感じたからであった。神話と歴史の錯綜は、今日もまだ多くの人々をとらえて放さない。しかし、考え方は明瞭なものだと私は考えている。神話、とりわけ『記・紀』に描かれた世界は、八世紀初頭の人々が、自らが何処から来たのかという「心の旅路」と、自分たちは一体何者であるのかという「存在証明」を、もっぱら心象風景の中に紡ぎ出そうとしたものである。だから、そこには「歴史的事実」を求めるのではなく、歴史観・世界観を舞台とする「観念的真実」というべきものを求めるべきなのである。この両者を混同することさえしなければ、何らの問題も生じない。

なお、**序の章**として、二〇〇七年秋に大阪府立弥生文化博物館で開催された秋季特別展『日向・薩摩・大隅の原像　南九州の弥生文化』の図録に「南九州の果実と結実～第三の弥生文化とそれから～」と題して発表した一文を、副題に示すように南九州の古代史論の新たな視座として収録した。

考古学の杖をついて

ところで、先の「考古学の散策道」という表題は、正直に言うが、あるいは知る人ぞ知るであろうが、考古学の大先輩である田中琢(みがく)さんと佐原真さんの『考古学の散歩道』（岩波新書、一九九三）からの「ぱくり」である。「散策道」としたのは、熟語としてはこなれていないが、「散策」の「策」は「杖」の意味で、考古学というツエを頼りに歴史という「情報の深い森」に分け入る姿を、思い浮かべたからである。

ところで、タクさんとサハラさんには、学園都市遺跡群の発掘調査を進めるため、調査指導委員会の委員や特別調査員として指導を受けた。永い間鎖国状態にあった宮崎県の考古学の中で、その時招聘した研究者は延べ二十人を超えるが、刺激的な日々であった。

そのタクさんとサハラさん、一時期奈良国立文化財研究所を共通の職場とされたほか、自他共に認める考古学界の盟友であったが、酒が弱いという共通項以外は、それぞれに個性的であった。

タクさんは、調査指導委員会にお呼びすると、支給された旅費の袋をいきなりその場で開き、中から数万円を抜き出し、私の手に握らせようとする。「暑い中で大変なのは、お前さんたちだから」と。暑気払いでもして元気を付けろ、と豪快だった。そして、退職後はすっぱりと考古学界から身を引かれた。考古学や埋蔵文化財保護行政の行く末に危機感をもっていた。それを自らの身の処し方で示したのだと思う。

サハラさんは、車の助手席に乗り込むと「酒が弱いのは、酒を分解する酵素の問題で…、車に乗って居眠りするのは、三半規管が車酔いするためで…」と、静かになったと思うとコクンコクンとしていた。何につけても学究肌と言うべき人であった。晩年の講演では、自らの戦争体験を語り、最後の締めくくりに得意のドイツ語で歌を披露した。再び日本が戦争へと傾斜していくことに強い危機感をもっていた。

タクさんは隠遁生活、サハラさんは故人となった。戦後考古学の再生の牽引役として重要な役割を担われた二人には、まだまだ後進に語り継いでもらわねばならないことは多かった。それを引き継いでいくのが私たちの役目であろう。

二〇〇七（平成十九）年初秋

目次

古代日向・神話と歴史の間

序の章　「3対7の社会」その成立と展開
――南九州古代史論への視座――

1の章　古代日向・考古学の散策道

2の章　日向神話の考古学

3の章　歴史を大地に読む

古代日向・神話と歴史の間

序の章　「3対7の社会」その成立と展開

——南九州古代史論への視座——

一　青銅の神を仰がず

はじめから、南九州を研究領域とする研究者は、考古学上のある出逢いの一つを放棄するしかない。青銅器に出逢うことは、叶わないことだからである。何故なら、南九州に青銅器が存在しないから。

いや、厳密には鹿児島県の土橋遺跡（志布志市）から銅矛が、ただ一つ出土している。一九一六（大正五）年に甘藷の貯蔵穴を掘った際、地下約九〇センチから立った状態で出土したとされる。しかし、この限られた出土状況等の情報が、南九州における銅矛の歴史的位置付けを検証し、考察するに足るものかは心許ない。そして、それ以外では、宮崎県内で数本の銅鏃が出土したとされるが、これには幾つかの疑問符が付く。

それでも何とか、青銅器を探し出せば、鏡があった。宮崎県の石の迫第2遺跡（宮崎市）、早日峰遺跡（延岡市）、鹿児島県の外川江遺跡（薩摩川内市）から小型仿製鏡が出土し、また破鏡と呼ばれる鏡の破片が、宮崎県の神殿遺跡（高千穂町）、銀代ヶ迫遺跡、松本原遺跡（西都市）、下那珂遺跡（宮崎市）、鹿児島県の本御内遺跡（霧島市）、横瀬遺跡（指宿市）から出土している。だが、これが現在の全てである。

これで、銅鐸・銅剣・銅矛・銅鏡などの保有により、社会的序列体系を構成する青銅器文化圏の一角に、席を占めていると言うのはおこがましい。むしろ、胸を張って「我々は青銅の神を仰ぐことがなかった」と言った方がよい。南九州では、原生的な生殖器信仰を継続していた。岩偶や男女の生殖器を表した軽石製品は、両県で見出されている。

こうした状況が、荒神谷遺跡（斐川町）や加茂岩倉遺跡（雲南市）で、銅鐸・銅剣・銅矛の多量出土を見た島根県と対照的に異なることは明らかである。このことは、『古事記』『日本書紀』に登場する「日向」と「出雲」の対照的な位置付けを想起させ象徴的である。

二　第3の弥生文化

(1) 稲と共に

「もう一つの」という言い方には、少しばかり手垢が付いてしまった。そこで、序列を意味するものではないが、北部九州を「第1」、畿内を「第2」と呼べば、南九州は「第3」と呼ぶことができる。すなわち、北部九州を弥生文化の窓口として専ら理解し、その弥生文化の蓄積の中で、次の古墳時代を準備したのが後の「畿内」であると理解してきた。

しかし、この図式は普遍性を持って成り立つのだろうか。近年の調査成果は、南九州にもう一つの「窓口」と「蓄積」を示している。故に、「第3」たり得ると考える。

その弥生時代の南九州に実ったものは何であり、その後の古墳時代にその実りがもたらしたものは何であったのか。

［図１］初期稲作の遺跡と遺物の分布

松菊里(ソングンリ)型住居・孔列文土器・大陸系磨製石器・擦り切り石包丁、こうした初期稲作に伴う遺構と遺物の出土が、九州島において北部と南部に集中することが、近年の調査成果の蓄積の中で浮き彫りになってきている。

松菊里型住居は、宮崎県の黒土(くろつち)遺跡（都城(みやこのじょう)市）、持田中尾(もちだなかお)遺跡（高鍋(たかなべ)町）、鹿児島県の六ッ坪(むつつぼ)遺跡（日置(ひおき)市）、魚見ヶ原(うおみがはら)遺跡（鹿児島市）などで確認され、孔列文土器は、宮崎県の右葛ヶ迫(みぎくずがさこ)遺跡（宮崎市）、宝財原(ほうざいばる)遺跡（西都市）、中尾山(なかおやま)・馬渡(まわたり)遺跡

擦切有溝石包丁・打製石斧・磨製穿孔具
（奥：都城市肱穴遺跡、手前：同黒土遺跡）

大陸系磨製石器
（宮崎県高鍋町持田中尾遺跡）

（都城市）、鹿児島県の水ノ谷遺跡（鹿屋市）、榎崎B遺跡（鹿屋市）など少なくとも四十を超える遺跡で検出されている。なお、黒土遺跡や鹿児島県の下原遺跡（日置市）からは、籾圧痕の付いた土器が出土している。

大陸系磨製石器は、宮崎県の持田中尾遺跡で石剣・石包丁・扁平片刃石斧・柱状片刃石斧などが、最も良好な組成関係を保って出土し、鹿児島県の外川江遺跡、吉ヶ崎遺跡（鹿屋市）などでも、また、擦り切り石包丁は、宮崎県の肱穴遺跡（都城市）、峰ノ前遺跡（美郷町）、古川遺跡（延岡市）、鹿児島県の玉里遺跡（鹿児島市）などで出土している。

こうして、南九州に初期稲作が到来したことの物的証拠の数々を、数え上げることができる。だが、一考を要するのは、南九州のこうした稲作に関連する遺構・遺物の出土傾向が、平野部のみではなく内陸部の地域で顕著になってきている点である。

⑵ ３対７の社会

突帯文土器を伴う時期、宮崎県の坂元（さかもと）A遺跡（都城市）、肱穴遺跡、黒土遺跡、桑田（くわた）遺跡（えびの市）などがその例である。坂元A遺跡と肱穴遺跡では水田跡が確認されているが、黒土遺跡と桑田遺跡では水田跡は検出されていない。桑田遺跡の植物珪酸体（プラントオパール）の分析結果では、畑作系の稲であったことが確認され、鹿児島県の王子（おうじ）遺跡（鹿屋市）でも、陸稲が主であったと考えられている。

一方、いわゆる水田が検出された坂元A遺跡についても、列島内最古級の時期を与えることができるとしても、南九州独特のシラス台地の崖下に湧き出す水を利用したその水田の区画は、狭小かつ不整形なものであり、鹿児島県の宮下（みやした）遺跡（垂水（たるみず）市）も同様の立地で、棚田状の小区画の水田が検出されているにすぎない。

こうしたことから、南九州の稲作の到来は、北部九州に見られる整然とした水田開発を将来するものではなく、縄文時代から引き継がれた従来型の畑作の延長に受け入れられ、水田を開発する場合でも大きな社会変革を伴うものでなかったことをうかがわせている。稲の到来の革命的な意義は、水田整備や灌漑など組織的な土地開発と水利権の管理等を必要としたところにあり、本格的な水田開発の中から、血縁から地縁へ、そして権力的な首長の誕生へと繋がる点が、弥生時代の歴史的意義である。

こうした南九州の状況を、「3対7の弥生社会」と呼ぶ。もとより、この数値は厳密なものではなく象徴的な意味であるが、「3」が水田、「7」が畑である。当然の事ながら、逆の「7対3の弥生社会」は、北部九州や畿内に標準的に現出した社会の在り方であった。

そして、南九州においても平野部では、砂丘列上に集落を営み、砂丘列間の低湿地を水田として開発する弥生集落が成立していた。宮崎県では檍遺跡（宮崎市）、鹿児島県では高橋貝塚（南さつま市）が、初期稲作の営まれた代表的な遺跡として知られてきた。だが、残念ながら断片的な調査に終わり、その全容や実態を明確に示す調査内容には乏しい。しかし、少なくともこうした地域は、水田耕作が優位となる「7対3の弥生社会」であったとみることができる。

ちなみに、こうした農耕を行う木製品の出土は、低地に位置する遺跡を中心に確認され、鹿児島県の弥生終末の楠元遺跡（薩摩川内市）から曲柄又鍬、平鍬などが出土している。また、台地上の遺跡である宮崎県の湯牟田遺跡（川南町）からは、鋤が炭化した珍しい状態で住居跡内から出土し注目された。一方、楠元遺跡や宮崎県の垣下遺跡（宮崎市）では、河川での漁労具としてのウケも出土している。

三　果実の中味

⑴ 異彩を放つ住まい

南九州には、花弁状間仕切り住居と呼んでいる独特の竪穴住居がある。通有の竪穴住居は、円形や方形に掘り窪められるが、住居内部に向かって突出した土壁が掘り残されているのである。平面形があたかも花びらを開いた状態に見えること、そして、掘り残された土壁が間仕切りの機能を持つと考えられることから、花弁状間仕切り住居と呼んでいる。

その分布は、宮崎県の新富（しんとみ）町・西都市の所在する一ツ瀬川流域を北限として、西は宮崎県のえびの盆地周辺、南は鹿児島県の大隅半島肝属（きもつき）平野を範囲とする。この分布の範囲は、後に述べることになる古墳時代の南九州独自の墓制である地下式横穴墓の分布に継承されることに注意しておきたい。

ただし、宮崎県の県北に位置する中野内（なかのうち）遺跡（延岡市北浦町）でも確実な花弁状間仕切り住居が確認され、大分県や海を渡った愛媛県でも、一部類する竪穴住居の存在を指摘することはできる。しかし、先に述べた中心的な地域では、集落全体が花弁状間仕切り住居で構成されるのに対して、これらの地域では単独か、あるいは限られた住居にみられるに過ぎない。住居の拡張やベッド状の掘り残しなどが、一見、花弁状間仕切り住居に見紛う平面形を示したものとも捉えられ、独自の住居様式として成立した花弁状間仕切り住居とは一線を画するものと考えたほうがよい。

何故、このような特異な平面形を持つ住居が、南九州の限定された地域に成立したのだろうか。花弁状間仕切り住居の始原は、朝鮮半島を起源とする松菊里型住居に求めることができる。中央に楕円形の窪みを持ち、その両端に主柱を立てることを基本とする住居は、やがてこの主柱を中心にして四本以上の柱が囲繞するようになる。この時点で周壁に添う柱は、周壁に近い位置に立てられているが、この柱がより中央に寄せられた段階で、柱背後の周壁までの間に生じる無効な空間が掘り残され、間仕切りとして機能するようになる。花弁状間仕切り住居の成立の瞬間である。

そして、この柱位置の設定には、厳密な計算があった。すなわち、円形の場合は、半径の二分の一の位置を基本として、時にさらにその内側に柱は設けられる。この柱位置は、松菊里型住居の場合、例外なく半径の二分の一より外側に設けられていることと比較しても、明瞭な規格性として捉えることができる。こうした規格は、方形の場合は、長軸を三等分した位置に柱が設定されるように厳密である。

円形の場合、柱の高さを一定と仮定すれば、柱が周壁に寄れば屋根勾配は高くなり、中央に寄

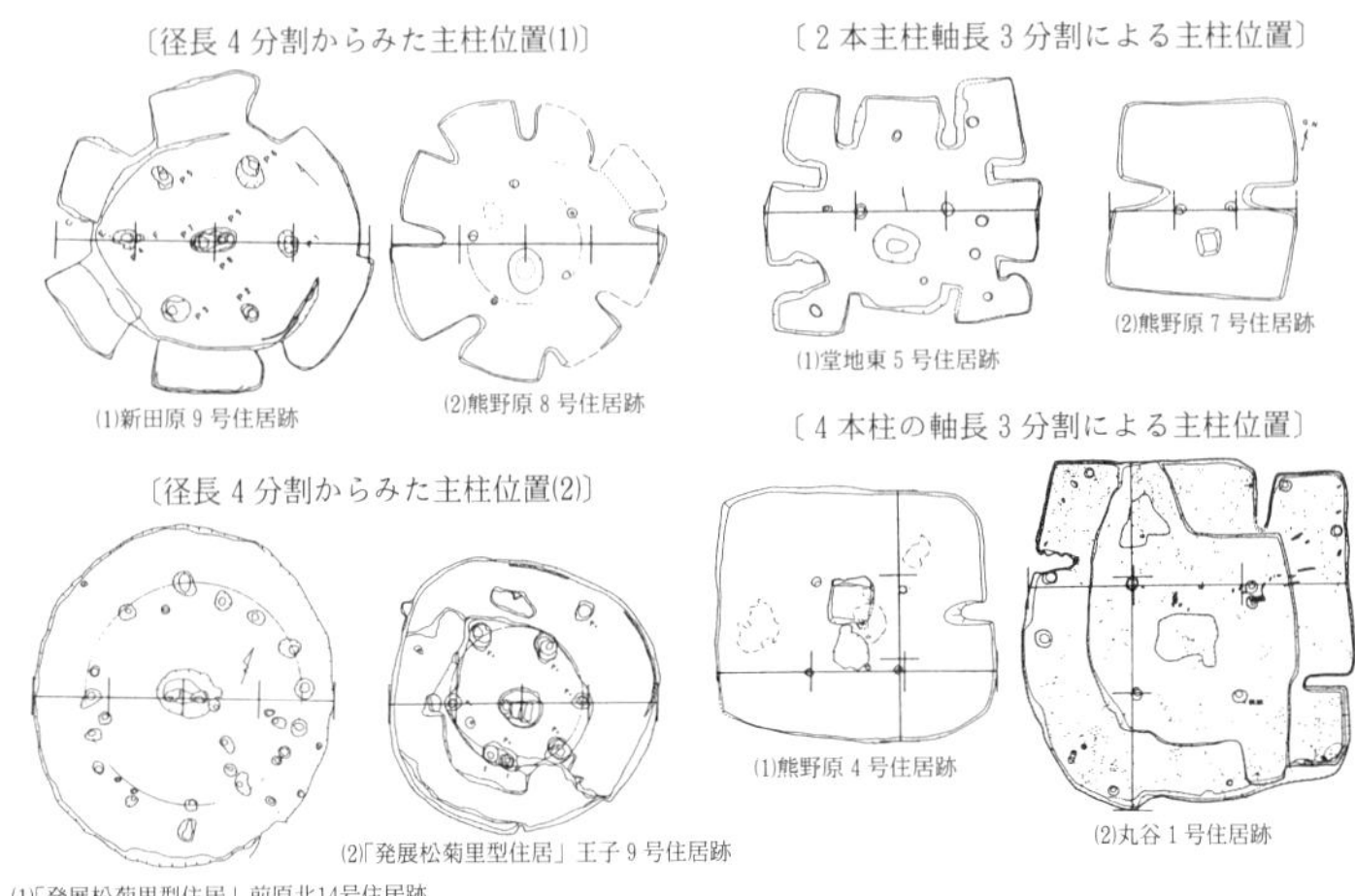

［図２］主柱位置からみた住居の特徴

分割についての住居跡の実測図は、全て同一縮尺に統一して比較してある。
（実測図は各報告書より）

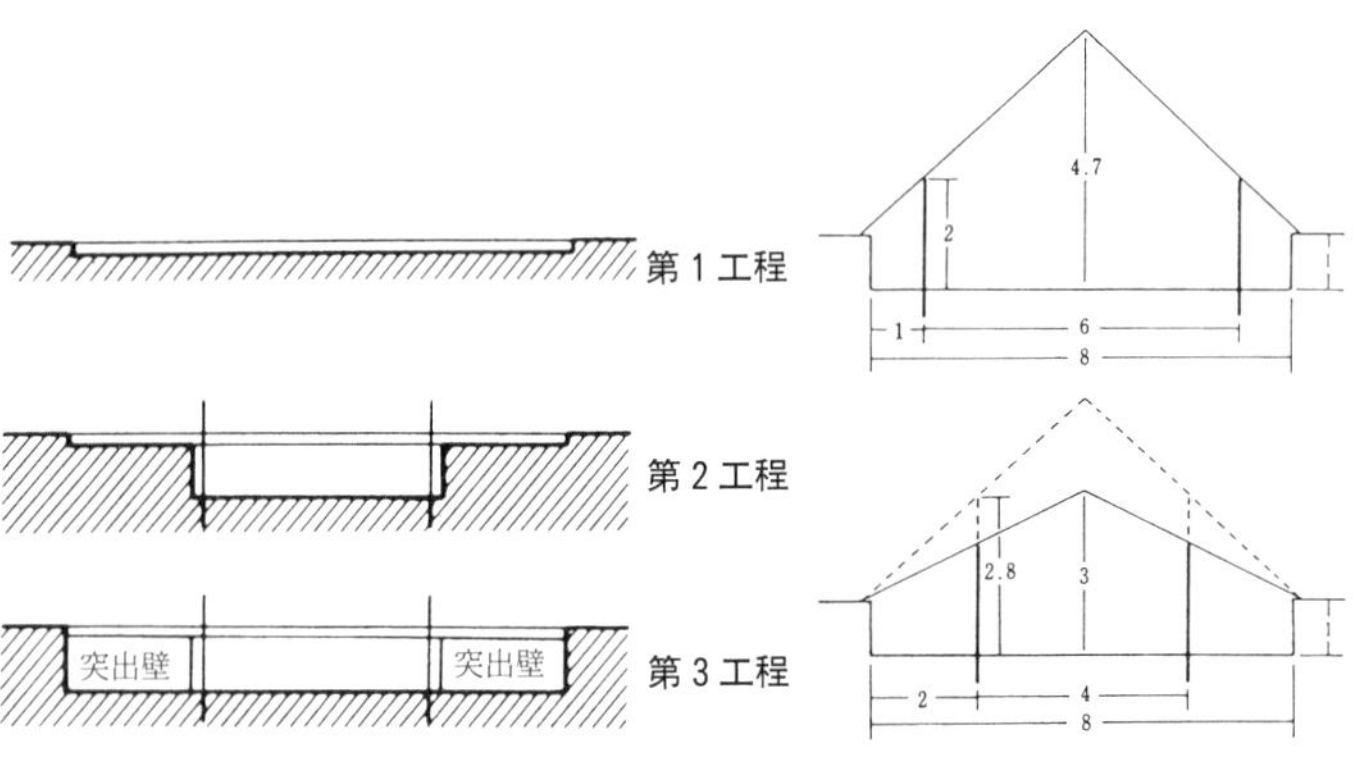

［図３］屋根勾配と模式法量（右）と花弁状間仕切り住居の施行方法（左）

るほど低くなる。こうしたことから、風対策のために低い屋根勾配が求められたことにより、柱位置が半径の二分の一、ないしはそれ以内に設定され、その結果、柱背後の無効な空間が掘り残されて間仕切り壁を成立させ、平面形が花びらを開いたような特異な形状を示す住居が成立したと考えた。今も、七月最大規模の台風の激しい風が窓を叩いている。

この他、注目される遺構として、棟持ち柱を持つ掘立柱建物跡が宮崎県の下大五郎遺跡（都城市）や鹿児島県の王子遺跡などで検出されている。いずれも花弁状間仕切り住居を居住空間とし、棟持ち柱掘立柱建物を祭殿等として、集落を構成していたと考えられる。また、興味ある調査成果として、鹿児島県の魚見ヶ原遺跡では、約二〇メートルにわたって幅約七〇センチの硬化面がみられる道跡が検出されている。

さらに、内陸部においては未だ調査例をみない、環濠集落の存在を挙げなければならない。平野部に位置する宮崎県の松本原遺跡（西都市）、下郷遺跡（宮崎市）、石の迫第2遺跡、塚原遺跡（国富町）や鹿児島県の松木薗遺跡（南さつま市）などで、環濠集落と定義づけられる遺跡が確認されている。これらは、台地上の遺跡であるが、近年では、宮崎平野の微高地上の集落でも環濠を巡らせる事例が、宮崎小学校遺跡（宮崎市）、島之内萩崎遺跡（同市）などで確認され始めている。

環濠集落を、防御的機能を持つ集落として狭義に理解すれば、環濠集落の未だ顕著な例を知らない内陸部は、その点において政治的緊張を感じさせるものでない。

(2) 交流と伝統の間

青銅器文化圏の一角に加わらなかったとしても、全く閉鎖的であったわけではない。畿内を中心に顕著な絵画土器や、瀬戸内系の凹線文や矢羽根透かしといった特徴を持つ土器の出土で、畿内や瀬戸内地域との交流があったことは確かである。

しかし、その分布範囲に注意しておかなければならない。絵画土器は、宮崎平野部から内陸部へは都城盆地まで、南は大隅半島の肝属平野の範囲、瀬戸内系土器は、宮崎平野と肝属平野に限られる。この地域は、「7対3の弥生社会」と見なすことができる。そして、この分布の範囲が、後の前方後円墳の分布と重なる点、十分認識しておく必要がある。すなわち、弥生時代に開拓された畿内・瀬戸内地域と交流を持つ地域の中で前方後円墳は広がるが、逆に言えば古墳時代に至ってもその領域を広げることができなかったと言い換えることもできる。

一方、宮崎県域では中溝式土器、鹿児島県域では山ノ口式土器が、在地性の強い土器として成立し、さらに成川式土器は、弥生時代後期から古墳時代を経て奈良時代まで、南九州の永い伝統性を保持する文化の象徴的存在となった。

加えて、免田式土器あるいは重弧文土器と呼ばれる極めて特徴的な一群の土器がある。弥生時

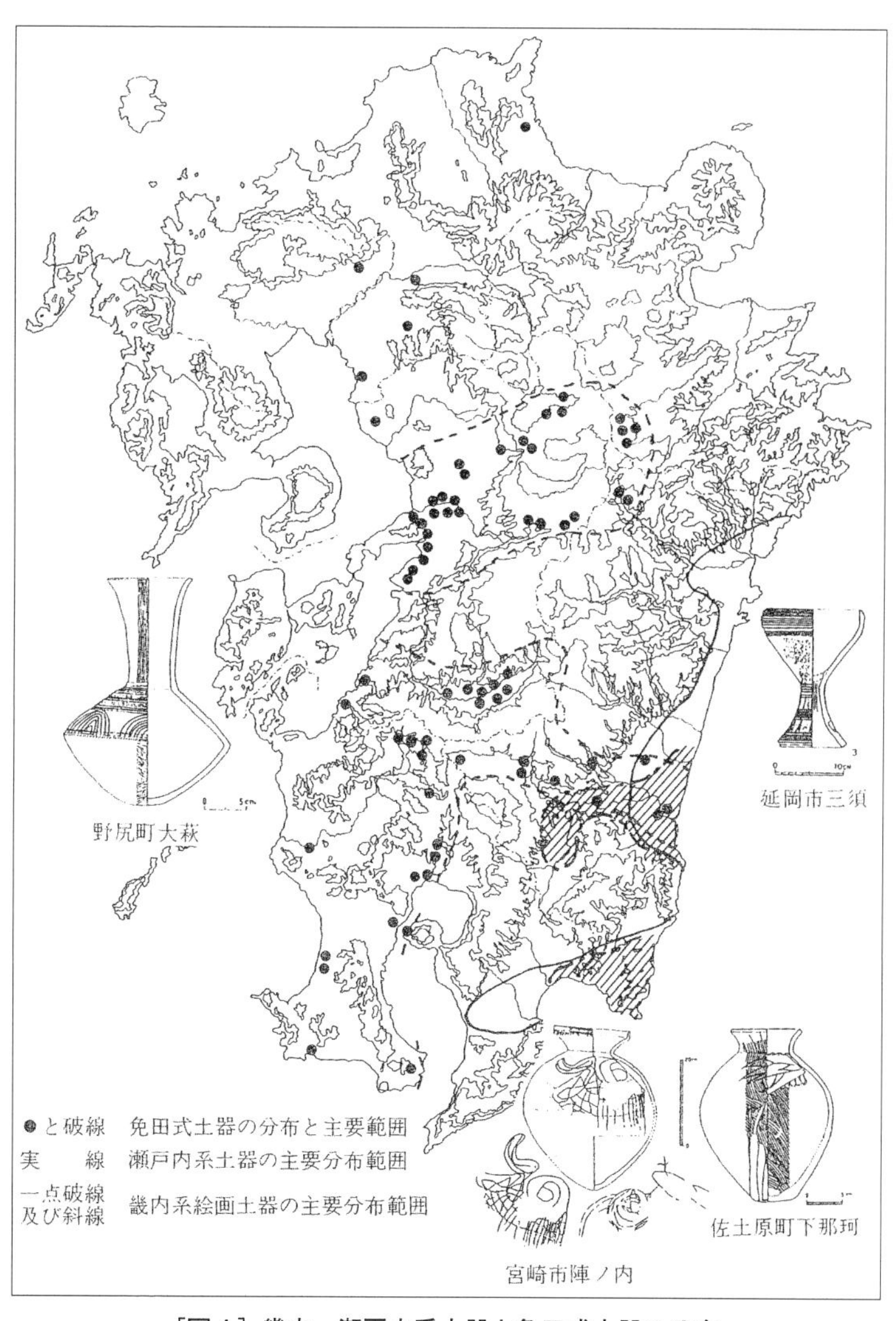

［図４］畿内・瀬戸内系土器と免田式土器の分布

代の後期の限られた時期に、突如として登場し、消えていくこの土器は、その主体に邪馬台国時代のクニグニのうち、女王国に属さず男王を擁立するクニグニを想起させる。南九州に、「邪馬台国」が存在しうる余地はない。その代わり、女王国に属さないクニグニが存在していた。

また、大分県の大野川上中流域から宮崎県の五ヶ瀬川上流域の祖母傾山系を中心とした山間部地域に展開する、独自の土器文化の存在を指摘することができる。こうした土器文化の在り方は、宮崎県のえびの盆地を中心とする霧島山系周辺の山間部においても、また明らかになってきている。両者の共通点は、砂質に富んだ土器胎土や分厚い器壁にあるが、口縁部形状や粘土紐貼り付けによる紋様構成などに違いがみられる。同時期の平野部の土器と比較をすれば、その独自性は一目瞭然である。（101頁参照）

明治初期に編纂された平部嶠南の『日向地誌』を繙けば、その時期における水田と畑の比率は、全体的に畑のほうが優位である（113頁参照）。それが現代では、急速な農地改良によって水田開発が行われ、どのような山間部でも水田が畑を凌駕するようになった。「瑞穂の国」の印象は、実はこうして形成されたものである。こうした山間部の地域は、弥生時代に遡っては「3対7の弥生社会」ですらなく、「1対9の弥生社会」であったとみなしても間違いはない。

そして、稲と共に新たな時代を表象する鉄の存在がある。鉄生産を示す鉄滓や鉄片、それに鍛冶に用いる台石などが、弥生終末の向原第1・第2遺跡（都城市）、畑山遺跡（延岡市）などで検出されている。新たな時代の数々の要素は確実に訪れながら、なおそこに在地性への強い傾斜が抗うこともできず生じるのである。

四　転位する結実

(1) 社会的な死へ

弥生時代の墓制について、南九州では調査例はさほど多くはない。平野部において、前期では宮崎県の檍遺跡（宮崎市）、鹿児島県の白寿遺跡（日置市）で、中期では鹿児島県の下小路遺跡（南さつま市）で、甕棺墓の存在が確認されているが、それ以上に周辺に普遍的な広がりを持たない。

また、鹿児島県の京ノ峯遺跡（志布志市）で検出された周溝墓は、中期後半に属すると見られているが、慎重な検証が必要である。後期から終末にかけての周溝墓としては、宮崎県の川床遺跡（新富町）や東平下遺跡（川南町）などでその存在が知られている。特に、川床遺跡は、一大墓域を形成する点や、一ツ瀬川流域の後の西都原古墳群や新田原古墳群が成立する地域に先行した

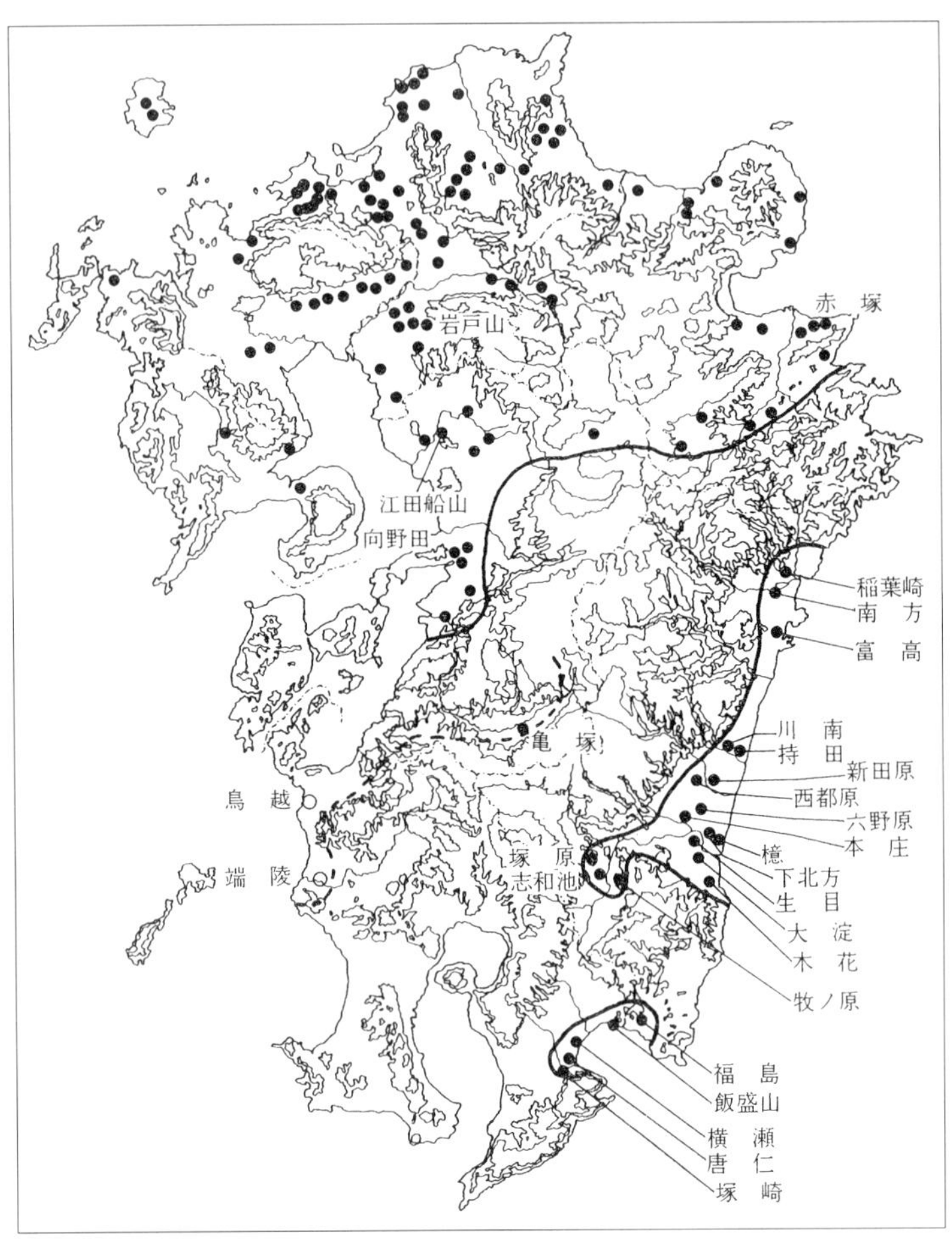

［図５］主な前方後円墳の分布

大分県南部から熊本県宇土半島を結ぶラインの以北を北部九州、以南を南九州として二分して理解したい。

北部九州には、ほぼまんべんなく前方後円墳が分布する。それに対して、南九州では東側の過密と西側の空白という落差にすべてが象徴される。

存在であり、重要な位置付けを持つ。

そして、これに継続して古墳時代の始まりを象徴する前方後円墳の成立は、かつては五世紀初頭を大きく遡らないであろうと考えられてきた。しかし、一九九五（平成七）年に始まる西都原古墳群の保存整備事業に伴う発掘調査を始めとする成果によって、現在では三世紀半ば、つまりは畿内における前方後円墳の成立と連動する時期を射程に入れながら、南九州における古墳時代の開始が論じられるようになった。

「中央」と「地方」の間において、頗る緩やかに文化が伝播するという古い先入観を取り除けば、弥生時代を通しても絶えることなく、畿内から瀬戸内を経由する交流の経路（ルート）はつづいていた。その意味からは、そこに検証なしに時間差を設けること自体、当時の歴史観が色濃く反映されていると認めるしかない。

先にも指摘したように、こうした前方後円墳の存在は、畿内系土器と瀬戸内系土器の分布圏に示される「7対3の弥生社会」を踏襲する範囲の中に登場し、かつその範囲を大きく出ることができないところに、古墳時代社会の限界が示されている。

その中でもとりわけ、列島最大の帆立貝形古墳である男狭穂（おさほ）塚と九州最大の前方後円墳である女狭穂（めさほ）塚が、南九州の地に成立したことは列島内での南九州の位置付けを考える上で重要である。

女狭穂塚は、古くから誰もが認める九州最大の前方後円墳として知られていた。一九九七（平成

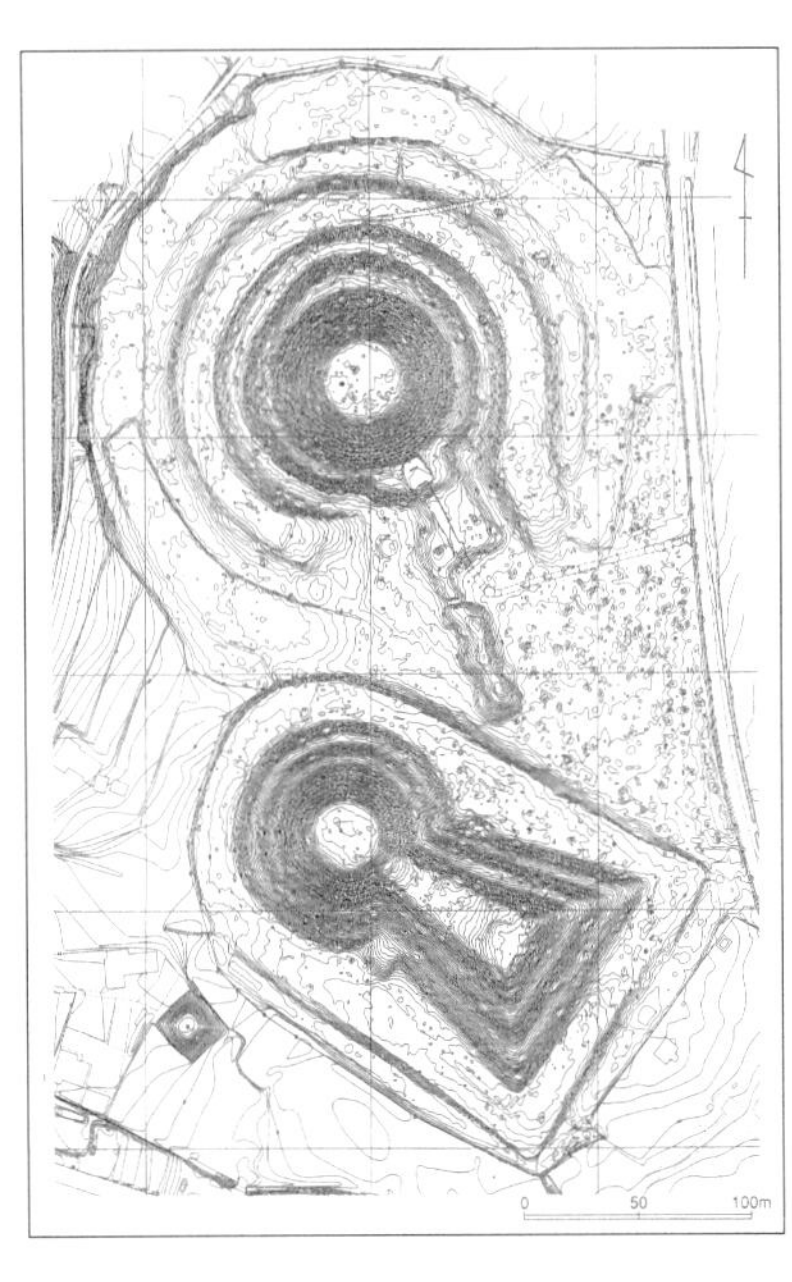

男狭穂塚（上）・女狭穂塚（下）

［図6］
男狭穂塚・女狭穂塚測量図

九）年に、自治体単独で初めて実施することになった宮内庁の管理する陵墓参考地の測量調査により、墳長一七六メートル、高さ一五メートルの規模を明確にした。列島内では、四十八位の規模である。

それに対して、不整形な「前方部」故に謎の多かった男狭穂塚を帆立貝形古墳と認定したが、その「方壇部」の先端を見極めることができなかったため、現況で二段目の痕跡を留める位置を先端部として、墳長一五四メートルと測定した。これは、方壇部の先端部まで巡る周壕の存在を前提としていた。それでも、それまで帆立貝形古墳としては最大規模とされた墳長一三〇メートルの奈良県の乙女山古墳（河合町）を凌駕し、列島最大規模であることが明らかになった。そして、二〇〇四（平成十六）年から始めた三カ年の地中探査の結果、周壕は先端部には巡らず、葺石の根石列と思われる反応を捉えて、墳長一七六メートルと測定した（249頁参照）。

すなわち、墳形を異にしながら墳長については、女狭穂塚と同規模に企画されていたのである。もとより男狭穂塚の一三二メートルを測る円丘部径は女狭穂塚を上回り、この円丘部径をもとに女狭穂塚と相似形の前方後円墳として築造したとすれば、墳長は二四〇メートルほどになり、列島内十六位相当の規模となる。また、帆立貝形古墳としての規格は、円丘部径を方壇部の長さ四四メートルの三倍とする、三重県の墳長一〇〇メートルの女良塚（名張市）などと相似形である。

女狭穂塚の標準型式が、同型式中最大の大阪府に所在する墳長約二九〇メートルの仲津山古墳（藤井寺市）であれば、男狭穂塚の標準型式は、同型式中最大の男狭穂塚をおいて他にない。つまり、この型式の帆立貝形古墳は「日向」において成立したと考えておきたい。

こうして、この二基の巨大古墳の存在は、『記・紀』に記された畿内の大王と南九州の豪族との婚姻関係を抜きにして考えることはできない。四世紀後半から五世紀前半にかけて外戚として権威を振るった在地勢力の存在は確実である（215頁参照）。

その他、古墳時代の南九州を認識するのに特記しておきたいことがある。特に宮崎県で多くの人物埴輪や動物埴輪が出土していると誤解されてきた点である。実は、南九州には埴輪、中でも人物埴輪・動物埴輪はないのである。全容が明らかになる二〇〇二（平成十四）年以前は、そう言っても大袈裟ではなかった。西都原古墳群出土で重要文化財に指定された子持家形埴輪と舟形埴輪を除けば、断片的に知られる人物埴輪・動物埴輪はあっても全体像を知りうる資料は一点もなかったのである。

しかし、近年の発掘調査の成果は、より鮮明な形で人物埴輪の存在に、南九州古墳文化の異彩を示している。中でも、鹿児島県の神領（じんりょう）10号墳（大崎町）から出土した、眉庇付冑（まゆびさしつきかぶと）を被り写実的な顔付きの一方、楯の紋様を描く抽象化された円筒の胴部を持つ、不均衡な武人埴輪の存在は、五世紀前半という年代観も含めて、最も新しい驚くべき成果となった。

また、宮崎県内において、先に記した埴輪の出土状況を大きく覆す調査成果となったのが六世紀前半の百足塚（むかでづか）（新富町）であった。衣の裾を片手でまくり上げ、下半身を露わにした巫女（みこ）の人物埴輪や太鼓形埴輪など、これまで全国的にも出土例のない埴輪も含み、多彩な埴輪群像により、南九州における埴輪祭祀の在り方を示している。

百足塚は、大阪府の今城塚（いましろづか）（高槻市（たかつきし））と共通する埴輪祭祀を持ち、その被葬者として指摘される継体天皇の存在に端的に表れる、新たな体制の始まりに連動し、それまで強大な勢力を誇った西都原古墳群の男狭穂塚・女狭穂塚に代わり、「日向」においても新たな首長層が台頭してきたことを如実に語っているのである。

百足塚（宮崎県新富町）古墳
出土の多彩な埴輪群像

神領10号墳（鹿児島県大崎町）
出土の武人埴輪

(2) 地下の死後の住まい

このような、平野部における弥生時代の墓制から前方後円墳の成立に対して、内陸部では、かつて年見川遺跡（都城市）で検出された遺構を周溝墓とする見方もあったが、検証の余地があり、その後は現在までに明確な周溝墓の存在は知られていない。明確な埋葬遺構としては、大萩遺跡（野尻町）で弥生後期の土壙墓・木棺墓群が確認され、朴木遺跡（都城市）で弥生中期後半の石蓋土壙墓が確認されている。

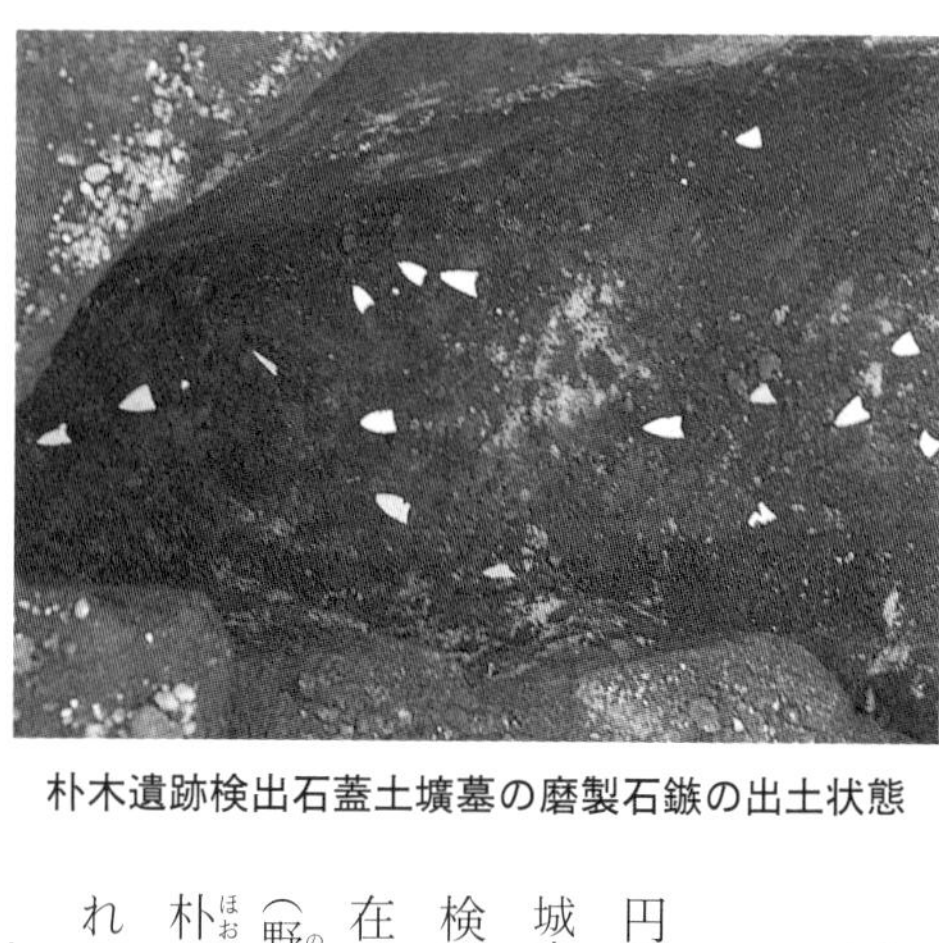

朴木遺跡検出石蓋土壙墓の磨製石鏃の出土状態

大萩遺跡において、土器類の集中供献や玉類・貝輪の保有などが限定された土壙墓に見られることは、首長の顕在を知らせるものである。また、朴木遺跡では、磨製石鏃が二十四本集中して検出されたが、検出状況から矢を射込まれた戦死者のものではなく、副葬品の可能性が支持されている。

そして、地下式横穴墓は、南九州独自の墓制として成立した。その分布は、北限を宮崎県の高鍋町・新富町として宮崎平野に広がり、内陸部は熊本県の人吉盆地、鹿児島県の大口盆地、宮崎

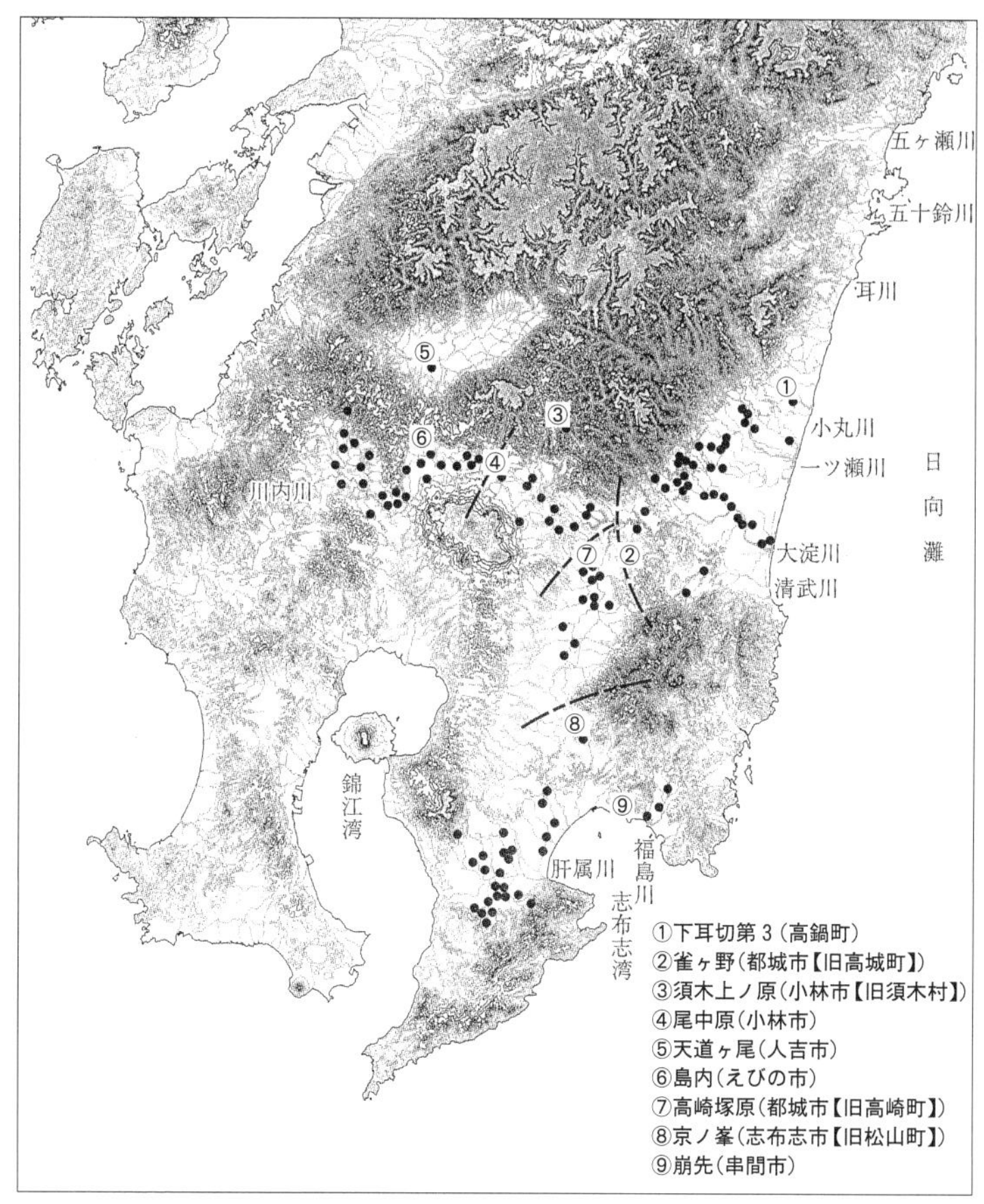

［図 7］ 地下式横穴墓分布図

①を北限として②までの宮崎平野部の範囲を第Ⅰ地域、③を北限とし④までの小林盆地を中心とする内陸部を第Ⅱ地域、⑤を北限とし⑥のえびの盆地を中心とした第Ⅲ地域、⑦を北限とする都城盆地を中心とする第Ⅳ地域、⑧から以南の大隅半島の肝属平野を中心とする第Ⅴ地域、として区分する。前方後円墳と妻入り型地下式横穴墓が分布するのは第Ⅰ・Ⅳ・Ⅴ地域、平入り型地下式横穴墓が主体となる第Ⅱ・Ⅲ地域には前方後円墳は存在しない。

県のえびの盆地を西限として、南は鹿児島県の大隅半島の肝属平野を中心とした範囲に限定される。

地下式横穴墓は、四世紀後半には誕生した特異な横口式の土壙墓が、半島に起源する横口系の石室に触発される形で、五世紀前半以降に宮崎県のえびの盆地において成立したもので、それはやがて北部九州において横穴墓として展開する。同時に、二〇〇四（平成十六）年に韓国の丹芝里（タンジリ）遺跡（公州市（コンジュ））の発掘調査で確実となった、半島における横穴墓の成立にも深く関わることになる。

その分布は、一部平野部に範囲を広げるとしても、地下式横穴墓の本質は、内陸部を中心とした「3対7の弥生社会」の象徴としてあった、花弁状間仕切り住居の分布圏を踏襲して登場する点が重要である。

弥生時代に生活の場に現された在地性が、古墳時代に入り死後の世界にその在地性を現すことは、定型化した方形住居や土師器等の生活様式の一定の斉一性とは別に、基層部に蓄積された伝統性が、より内面的な世界観の表出の場である死後の世界へと転位されたことを意味している。

そして、地下式横穴墓の構造は、家形を指向することを基本とする。死後もなお住まう家が、地下式横穴墓であった。

内陸に所在する地下式横穴墓は、数十基の群をなし、より広域的な墓域を包括すれば数百基が群集することになる。しかし、これらの構成は一定の約束事に基づいて築造されてはいたが、集団内部での傑出した首長の存在は認めがたく、また個別集団における武器・武具や馬具類の保有の過多に特色を認めても、集団間における格差は認めがたいことから、並列的・横割り的な地域社会を構成していたとみることができる。その点で、前方後円墳の規模も含めて階層的・縦割り的な関係を示す社会と異なるものであった。

さらに、前方後円墳と地下式横穴墓が混在する地域において、前方後円墳下に築造される地下式横穴墓の存在は、もはや動かないものとなった。生目古墳群では、これまでに五基の古墳が地下式横穴墓を伴うことを明らかにし、中でも7号前方後円墳の周辺では十三基の地下式横穴墓が確認され、その幾つかは墳丘下に玄室を向けて築造されていた。後円部中心に玄室を向ける地下式横穴墓は、その竪坑規模から推定すると、地下式横穴墓の中でも最大規模級である可能性が高い。平野部におけるこうした様相は、より複雑で構造的な地域社会の理解が必要であることを教えてくれている。

その他、注目される成果として馬の存在がある。砂丘上に立地する山崎下ノ原(やまさきしものはる)遺跡（宮崎市）では、馬埋葬土坑が六基検出され、馬歯と馬具類が出土している。近年、宮崎県下における馬埋葬土坑と馬具類の出土は増え、内陸部の地下式横穴墓でも馬頭地下式横穴墓群などは、とりわけ馬具類の副葬が顕著であるなどの特徴を示す。

これらのことから、後の『書紀』に記される推古天皇が詠んだ「馬ならば日向の駒」へ、さらに『延喜式』に表れる列島内でも多い馬牧へとつながるその始原が、この古墳時代の騎馬文化の受け入れにあることを知るのである。また、南九州に将来された役割もまたここにあることが知られるのである。

五　海に開く南九州

(1) 南の島から

弥生時代は九州島の「西の道」を通り、古墳時代に入ると「東の道」が開拓された、と考えられる「貝の道」がある。その変化を示す貝輪の出土傾向は、顕著である。

九州島の東側に位置する宮崎県の弥生時代における貝輪の出土は、唯一内陸部に所在する大萩遺跡の土壙墓の事例があるだけである。西の道の経路上にある薩摩半島の高橋貝塚は、南海産の貝輪を有していたが、この大萩遺跡の貝輪は、この西側の経路から持ち込まれたものと考えられる。

旭台地下式横穴墓群出土のオオツタノハ製の貝輪

それに対して、古墳時代に入ると内陸部や大隅半島の地下式横穴墓において、ゴホウラ・イモガイ・オオツタノハ製の貝輪の副葬が顕著になる。平野部における玉類の出土頻度との対比は明瞭であり、それぞれ装身具の役割と位置付けが区別されていたと考えられる。

加えて、弥生時代の中頃以降から成川式土器を伴う五世紀後半にかけても、貝塚が形成される点も、南九州の特徴を現すものであるし、古墳時代では生目古墳群の5号墳から出土したスイジガイを模様題材とした絵画が描かれた埴輪などにも、貝への親和性の強さが表されている。

その南に位置し、東の道の成立に大きな役割を担ったと考えられる鹿児島県の広田遺跡（南種子町）には豊富な貝製品がある。そして、それらが列島への経路の中で重要な位置付けを持ち得たのは、青銅器にみられる饕餮文や爬虫文に類する紋様から想定されるように、さらにその先に位置する大陸との交渉が期待されているのである。

B	
a	b
×•馬具•鏡•×	×•馬具•×•玉類
下北方４号(玉類)	本庄24号(北神ノ原８号) 西都原・国分１号(**貝輪**) 【大隅】横間９号(**貝輪**)
小木原１号（小木原古墳)	大萩27号(**貝輪**) 馬頭１号

c	
×•馬具•×•×	
本庄26号(北神ノ原10号) 本庄14号(宗仙寺12号) 本庄29号（十日町１号・轡塚南)	内屋敷２号 西都原１号 西都原３号 牛牧 柿木原２号
久見迫６号 久見迫14号(4004) 久見迫21号(4011) 馬頭１号 馬頭５号 馬頭13号	馬頭14号 島内２号

c			
×•×•×•玉類			
元地原５号 元地原７号 月中１号 飯盛３号(53－１号) 高山・前田１号 井水１号 市ノ瀬１号(＋**貝輪**) 市ノ瀬２号	市ノ瀬９号 西都原７号(**貝輪**) 久木野２号 栗須１号 中迫１号(**貝輪**) 木脇塚原２号(西ノ免１号)	木脇塚原３号(西ノ免２号) 菓子野６号 本庄36号(前の原３号) 本庄32号(東ノ原１号) 六野原14号 六野原28号(Ａ号) 築池２号（鉄釧)	築池７号 築池８号 築地33号 【大隅】神領５号(**貝輪**) 塚崎１号 上ノ原３号 上ノ原９号(**貝輪**) 岡崎２号(**貝輪**)
須木・上ノ原９号(＋櫛) 日守１号(**貝輪**) 日守５号(**貝輪**) 日守８号(**貝輪**) 日守９号(**貝輪**) 島内５号(**貝輪**) 島内７号(**貝輪**) 島内15号	島内23号(**貝輪**) 島内26号(**貝輪**) 島内35号(**貝輪**) 島内56号(**貝輪**) 島内89号(**貝輪**) 島内91号(**貝輪**) 島内101号(**貝輪**) 小木原７号(101号)(**貝輪**)	大萩１号(**貝輪**) 大萩14号(**貝輪**・櫛) 大萩24号(**貝輪**) 大萩27号(**貝輪**) 大萩34号(**貝輪**) 立切３号(櫛) 立切35号(＋**貝輪**) 立切60号(**貝輪**) 立切63号(鉄釧)	立切64号(**貝輪**) 東二原８号(**貝輪**) 旭台９号(**貝輪**) 高崎塚原２号(鉄釧) 原村上２号(鉄釧・**貝輪**) 原村上４号(**貝輪**) 原村上６号(**貝輪**) 【薩摩】馬場１号(**貝輪**)

註：(＋　）は玉類と共に副葬され、その他は玉類に代わって副葬されていることを表す。

副葬品の組み合わせ関係からみた地下式横穴墓

地域＼分類	A	
	A	
	a	b
	甲冑・馬具・鏡・玉類	甲冑・×・鏡・玉類
Ⅰ・Ⅳ・Ⅴ地域	六野原10号 下北方5号 本庄6号（六日町）2号・松原塚南）	西都原4号 六野原8号 本庄15号（六日町1号） 本庄4号（宗仙寺2号・猪塚南）
Ⅱ・Ⅲ地域		

地域＼分類	B	
	a	b
	甲冑・馬具・×・×	甲冑・×・×・×
Ⅰ・Ⅳ・Ⅴ地域		本庄6号（宗仙寺4号・本庄小） 六野原1号 木脇塚原1号（西ノ免A号） 【大隅】祓川
Ⅱ・Ⅲ地域	木原6号（3号）	島内3号 島内21号 島内62号 島内76号 島内81号 小木原5号（1号）

地域＼分類	C	
	a	b
	×・×・鏡・玉類	×・×・鏡・×
Ⅰ・Ⅳ・Ⅴ地域	本庄12号（宗仙寺10号・本庄小） 大坪1号**（貝輪）** 市ノ瀬5号 築池3号 【大隅】神領1号（竜相）**（貝輪）**	六野原35号 本庄3号（宗仙寺1号）
Ⅱ・Ⅲ地域		東二原2号

(2) 南の島の先

玉璧の意味するものとは、何であるのか。宮崎県の南端、串間市出土とされる列島唯一の完璧な玉璧がある。中国広東省広州市の南越文王（紀元前一二二年没）の王墓出土の穀璧に、類似例を求めることができる優品である。

伝えられる出土等の経緯は、次のとおりである。現在は、加賀（金沢）藩ゆかりの前田育徳会

（東京都目黒区駒場）の所蔵であるが、その箱書の表面には、中央に「古玉璧」、左下に「多氣志廬蔵」とある。「多氣志廬」とは松浦「武四郎」のこと、北海道の名付け親とされる三重県出身の幕末の探検家である。裏面には、江戸時代も残すところ半世紀の命運となった一八一八年の「文政元年」に、「日向國那珂郡今町村」の農業を営む「佐吉」が、自身の土地の「王之山」で「石棺」を掘り当て、「古玉」や「古鉄器」の「三十余品」の一つとして出土し、「日向」は古から遺跡が多いところで、出土した「古塚」も「尋常」なものではない、と記されている。時は「明治十年」、記した人物は「湖山」、武四郎と親交のあった漢詩人小野湖山である。

文政元年戊寅二月日向國那珂郡
今町村農佐吉所有地字王之山掘
出石棺中所獲古玉古鐵器三十餘
品之一蓋日向上古之遺蹟多矣
所謂王之山亦必非尋常古塚也
明治十年丁丑十二月
湖山長愿題

串間出土とされる「玉璧」の箱書の裏面
（前田育徳会所蔵　玉璧は105頁に掲載）

しかし、この玉璧、福岡県の志賀島出土で一七八四（天明四）年に発見されたとされる「漢委奴国王」の金印に匹敵する宝器ながら、真正面から取り上げられることなく不幸な扱いを受けている遺物である。その大きな問題点は、出土遺構の所在が不明で、供伴遺物も残されていないなど、考古資料として最も肝心な部分が未詳であることが致命傷となっている。また、松浦が入手した経緯も、果たして宮崎県に「立ち寄った際に入手した」ものか、逆に東京に居を構えた松浦の「元に持ち込まれた」ものか、もう一度最初から洗い直す必要があるし、前田家に所蔵が移行した経緯も不明のままである。

金印について又候（またぞろ）、偽印説が浮上しているが、この玉璧は少なくとも真贋を問えば本物である。ただ、後代に中国大陸等で入手したものを、何時の間にか串間市出土として伝えるようになった、といった疑いの余地は入り込む。なにせ、串間市の考古学情報は、宮崎県の中でもとりわけ少なく、そのことは何とも心許ない。北部九州のように、大陸や半島から多くを受容した実績が明らかな地域であれば金印の存在も頷けるが、頷くに足る情報がそもそも圧倒的に不足している。

しかし、串間市にはもう一点、中国戦国時代の主に燕で流通したとされる明刀銭が出土したとして所蔵されていることが近年明らかになった。列島において数少ない出土例となるが、これも残念なことに出土・来歴が明確ではない。

だが、これらを大陸から半島、そして北部九州を介して南九州にもたらされた、と先入観による経路をなぞる必要はないと考える。南九州にも確かな窓口があったと考えられるのは、ここまで示してきたところである。この県南部には、海を望む砂丘上に築造された横穴式石室を持つ狐（きつね）塚（づか）古墳（日南市）が存在し、鬼ヶ城（おにがじょう）古墳群や崩先（くずれさき）地下式横穴墓群（串間（くしま）市）なども、海を意識した人々の終焉の地なのである。

なお、北部九州を中心に西日本からの出土が知られる新の王莽の貨泉が、曽井遺跡（宮崎市）から出土しており、その存在も気になるところである。玉璧・明刀銭・貨泉のいずれも時代的には、列島における弥生時代に相当する時期に属するものであるが、その出土の年代観は未詳である。

六　海を行き交う

こうしてみれば、南の島々は、その西側の大陸へと繋がり、中継する位置付けも担ったはずである。また、南九州が直接的にも大陸との交渉を形成していったことも十分首肯できる。海の支配権を持つ南九州の役割は、南島はもとより半島、大陸への経路も有し、とりわけ大陸との交渉に畿内政権の期待するところは大きかったのではないか。このような海に向かって開かれた南九州の役割を、列島の歴史に位置づけておく必要があると考えている。

現在までに六百体を超える地下式横穴墓出土の古墳時代人骨は、在来的形質を示す内陸部の人人と、外来的形質を示す平野部の人々の存在を教えてくれる。そこにある具体的な人的交流は現実のものであり、七世紀前半の蓮ヶ池横穴墓群（宮崎市）の壁画に見出された列島最初の「鬼面」

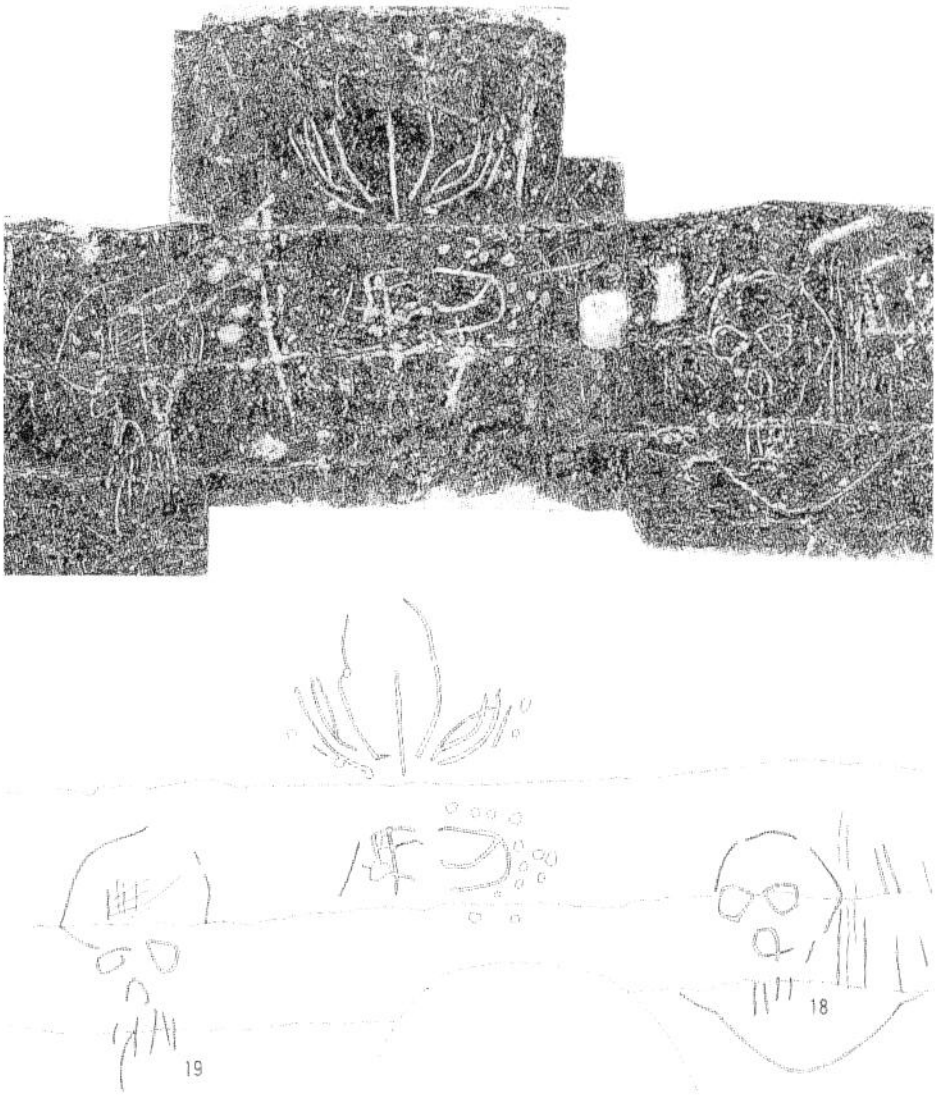

［図８］蓮ヶ池横穴墓群の線刻壁画（中央が「鬼面」）
［柳沢一男「宮崎市蓮ヶ池横穴墓の墳丘を有する横穴墓と線刻壁画（『宮崎考古』第16集　宮崎考古学会　1998）より］

の表現は、大陸に誕生した思想を直接的に体現する人物の存在を示唆している。

日向神話の中核をなす天孫降臨の主人公である瓊瓊杵尊（ににぎのみこと）が、木花開耶姫（このはなさくやひめ）に初めて逢ったのは「吾田（あた）の長屋（ながや）の笠狭碕（かささのみさき）」であったと『書紀』は記す。そして、この笠狭碕は、薩摩半島の西岸に突き出した小半島の野間岬との説が紹介される。何故、野間岬かを考える時、北に延びる吹上浜（ふきあげはま）に所在するのがあの高橋貝塚であり、その南には古くから良港として知られる坊津（ぼうのつ）が位置していることに思い当たる。階層的・縦割り的な序列ではなく、並列的・横割り的な連合の中で、九州の東海岸から西海岸をも射程に入れて、後の諸県君の勢力圏へとつながる基盤は、海を見渡しながら確実に形成されていったのである。

1の章　古代日向・考古学の散策道

第一節

氷河と始源——はじまりの足跡

後牟田遺跡の発掘調査

源の足跡——人類史の中で

トロントロンとは面白い地名である。谷合いに水が湧き出る様からきているという。そこは、生活の源であったにちがいない。

後牟田(うしろむた)遺跡（川南町）は、その東側の台地に位置している。一九九三—四年に行われた発掘調査の成果は全国的な話題となった。縄文時代早期から旧石器時代にかけて十層の文化層が確認され、その最下層が五万年以前にさかのぼることが明らかになったのである（68頁参照）。

出土した石器は、一目には単なる石のかけらでしかない。しかし、よく見ると自然に割れたのではなく、人手が加わった微妙な規則性が観察できる。

二万数千年以前の旧石器の存在は、矢野原遺跡（延岡市北方町）などで確認されはじめていた。しかし、後牟田遺跡は、それを一挙に数万年古くさかのぼったばかりでなく、西日本でも最古の遺跡となった。実は、三万年をさかのぼるか否かは考古学・人類学にとって重要な意味があった。

人類は、猿人（四〇〇万〜八〇〇万年前）、原人（一五万年前）、旧人（三万年前）、そして私たちの祖先となる新人（三万年前〜）へと変化してきた（70頁参照）。つまり、三万年前というのはネアンデルタール人に代表される旧人とクロマニヨン人に始まる新人の境であり、ほかならず後牟田遺跡は旧人による文化の存在を明らかにしたのだ。

矢野原遺跡の水晶製の石器群

こうして宮崎の地の悠久の歴史が幕を開けた。トロントロンの坂を獲物を担いだ「ネアンデルタール人」が歩いてゆく。

原風景の誕生——火山災害を生き抜く

日向灘沖を震源とする大小の地震が相次いでいる。抗しがたい天変地異の中を、私たちはどのように生きぬけばよいのだろうか。

旧石器時代の時間の単位は、数千年ときに数万年である。そうした時間帯のなかで起こった、地球規模の自然の変化に対応しながら人々は生きた。最も大きな変化が、氷河期の終わりである。それはまた、列島が大陸と陸続きであった時代から孤島となる時代でもあった。今から二万年前を前後する時期は、地球環境の大きな転換期である。

ちょうどそのころ、二万数千年前（71頁参照）のこと、南九州の南端部が大きく噴き飛んだ。火山の噴火である。流れ出した火砕流は、谷を厚く埋め尽くし台地となり、噴き上げられた火山灰は、天空を覆い氷河期の冬となった。桜島を含む錦江湾北部は、こうした巨大火山のカルデラの跡である。そして、その火砕流を今シラスと呼んでいる。

その火山噴火を目の当たりにし、逃げまどった人々がいる。矢野原遺跡や南学原（なんがくばる）第2遺跡（宮崎市佐土原町）などを営んだ人々である。動植物は大きな被害を受け、人々の生活も撤退を余儀なくされた。しかし、その後の植生の回復や動物の復帰に伴う人々のたくましい生活力は、堂地西（どうちにし）遺跡（宮崎市）や黒土田（くろつちだ）遺跡（延岡市）など、火山灰降灰以降、数を増してゆく遺跡によって知ることができる。

こうして彼らが力強く生きぬいたその先に、私たちの生活があることをときには思い出したい。

柔らかな手の堅い道具――道具から武器へ

人間は、最も脆弱な動物であるに違いない。柔らかな手では、鋭い爪と牙をもつ鋭敏な獣たちや飛翔する鳥たちを獲ることはできない。また、樹木をなぎ倒し、木の実をすりつぶすこともできない。人間が生きぬくことを可能としたのは道具の発明である。

旧石器時代は、もっぱら石器の確認によって理解される。木の器や獣の皮の袋や蔦で作った籠のたぐいがなかったわけではない。それらは地中に埋もれ朽ち果て、石器だけが残された。

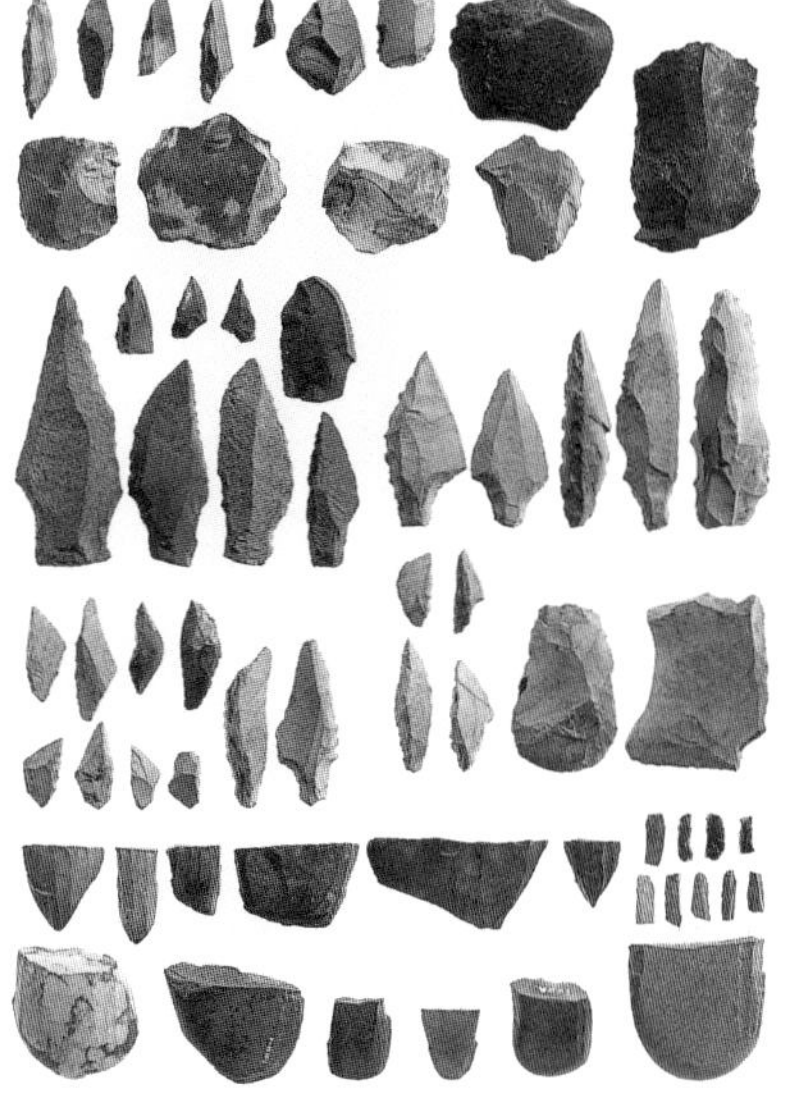

堂地西遺跡の尖頭器・ナイフ形石器・細石器などの各類

石器は、時代の変遷をもち、荒い加工の石器から、やがて細かく再生のきく石器へと発展した。最初に現れたのは、石を単純に打ち欠いた不定形の石器のたぐいである。そして次第に形の整った石器が生み出された。

ナイフ形石器は、文字通り切り出しナイフのような形をし、切断に使用された。尖頭器は、柄が装着できるように打ち欠かれており、槍として使用された。そして、旧石器時代の終わりに登場するのが細石器あるいは細石刃と呼ばれるもので、長さ数センチ、幅数ミリの薄く打ち欠かれた剃刀の刃のような石器で、木の柄に連続して埋め込んで槍として使用された。

しかし、こうした槍などは、人間の手の延長線上から人力で投げる以上の威力を発揮することのない道具であった。弓矢のような飛び道具の発明は、縄文時代を待たなければならなかった。そして、人間はその柔らかな手が生み出す道具が、時に凶器となることをやがて知るのである。

情報と技術――地域の個性の原形

情報化社会の中、真実と虚構の情報の境が不明瞭になりつつある。生活の切実さに裏付けられた確かな情報や技術が、確実に人から人へ伝達された時代がある。

石を打ち欠く道具は、必ずしも石と同様に硬質である必要はない。鹿の角などによるしなやかな打撃は、薄く幅広の剝離をもたらし、強い打撃ではなく押し剝ぐ方法は、鋭い刃先を生み出す。人々は、目的に応じた石器を生み出すためどのような技法を用いればよいのかを熟知していた。

石器作りのこうした技法の伝達は、想像以上の広がりを持つと同時に、一定の限られた範囲を形作る。共通の情報や技術の広がりを文化圏と呼ぶ。同じ石器でも製作の技法には幾つかの特徴がある。

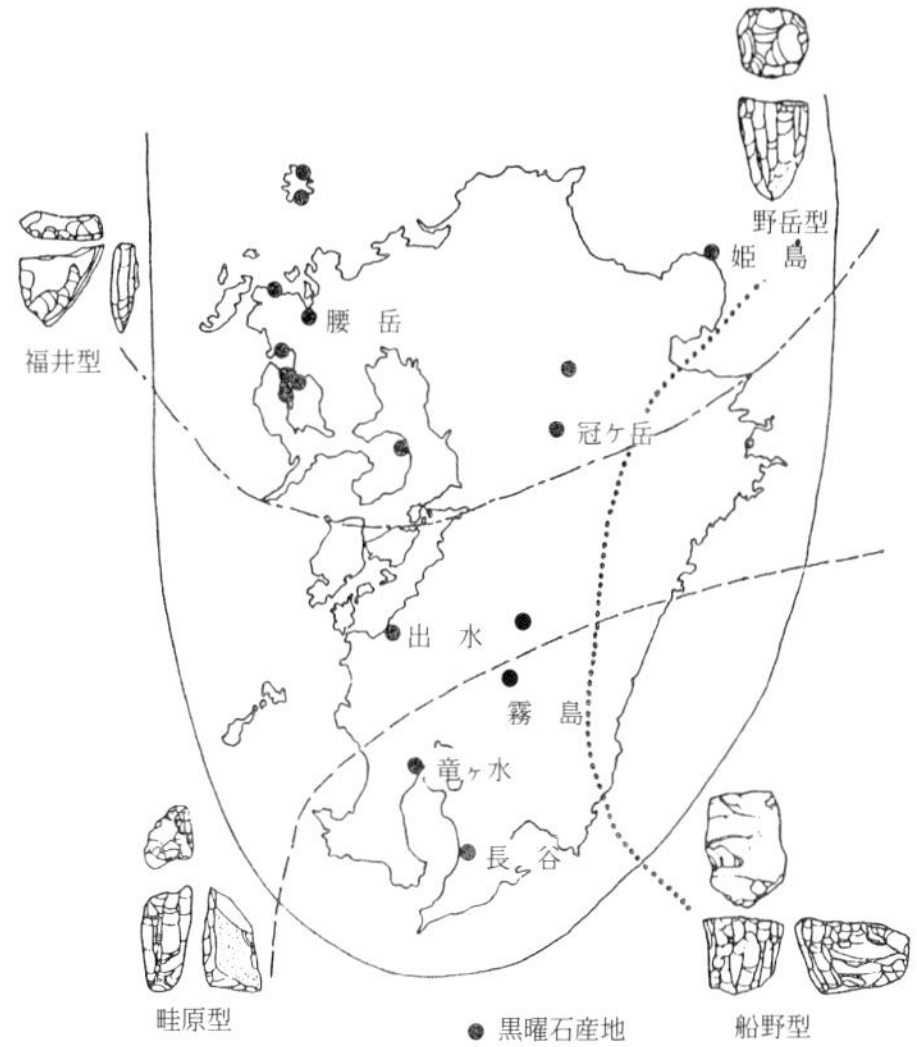

［図１－１］細石核の分布圏と黒曜石の産地
（下川達彌「旧石器時代」『図説発掘が語る日本史』1986年をもとに修正加筆）

考古学では、細石刃を打ち欠いた跡が残る素材の石を細石核と呼び、その特徴を代表的な遺跡の名前をとり「〜型細石核」と呼んでいる。畦原型（新富町）は、偏平な石を半分に割り、その縁から細石刃を剥離する。これは南九州を中心に分布する。船野型（宮崎市佐土原町）は、船底状の形が特徴である。これは東九州を中心に分布する。一方、全九州的に広がりを見せる技法もある。半円錐状の形が特徴となる野岳型（長崎県大村市）である。

このように、一定の地域に広がりを持つ技法と広域的な広がりをみせる技法の在り方は、ちょうど「方言」の在り方と似ている。地域の個性を示す文化圏の形成は、一万年以上のながい歴史に基礎づけられているのだ。

焼け石の調理——多様な火の利用

アウトドアがブームである。現代人は、人工の荒野のストレスを自然に抱かれることによって癒(いや)そうとしている。しかし、様々なアウトドア製品は日常生活と寸分違わぬ利便さを提供している。自然の中に裸のままおかれた時、人間はどのように対応するのだろうか。

生で食べられる食材は意外に少ない。加工の基本は、直接火で焼くことである。しかし、その調理にはバリエーションがない。次に考え出されたのが、間接的に火の熱を利用することである。「焼け石に水」とはよく言ったもので、石の持つ保熱性を言い表している。その知識の修得は、一万年以上も前にさかのぼる。

集石遺構と呼んでいるものは、焼け石の熱を利用した調理の跡である。石蒸し調理の実験では、鶏肉、芋をくるんだバショウの葉の上に約五十分加熱した石をかぶせ、待つこと約一時間で程良く蒸し上がる。ただし、くるむのはアルミホイールではいただけない。バショウの葉が持つ適度な水分がミソであるらしい。

この調理方法は、旧石器時代から縄文時代の早い時期まで、つまり土器の本格的な普及で食生活が根本的に変革されるまで

前原西遺跡検出の集石遺構

継続して活用された。しかし、人々は日常的にこうした石蒸しの美食にありつけたわけではない。一つの遺跡で百基を単位で検出されることはざらだが、その時間幅は数千年である。単純に計算しても、一年のうち一回行ったかどうかという頻度である。特別な日の特別な料理を提供するものであったのだろう。

「旧石器捏造事件」と研究者

この十年ほどの間の出来事で、考古学の本質を最も脅かしたのが、二〇〇〇年に発覚した旧石器捏造事件であった。口を拭って、自分だけは無事だと知らぬ顔をする研究者がいる。しかし、考古学研究に携わる一人ひとりが、その責任から逃れられるものではない。捏造自体は西日本に及ぶことがなかったが、本来、遺跡の考古学的評価として問われるべき発掘調査成果の「誤認」や「誤解」として論ずべき課題を、作為的な「捏造」と混同させて大分県の聖嶽洞穴遺跡（佐伯市）の調査事例を引きずり出し、別府大学の賀川光夫さんを自死に追いやるという形で九州に波紋が広がった。むしろ、捏造事件以上に深く問われなければならない事態を引き起こしたというべきである。

これらの土壌となったものの一つは、「研究の成果」を評価するのではなく、「発掘の成果」を評価する考古学の傾向にある。ハインリッヒ・シュリーマンはホメロスの叙事詩イーリアスからトロイアを発掘したが、決して古代ギリシアの社会構成を明らかにする研究を公にしたわけではない。ハワード・カーターもツタンカーメンの未盗掘の王墓を発掘調査したが、エジプト古代社会の構造を解明したわけではない。両者いずれも、考古学に夢を託したいわば素人であった。日本における旧石器時代研究の扉を開いた群馬県の岩宿遺跡（みどり市）の発見も、納豆の行商で生計を立てていた相沢忠洋さんであった。専門的に学問を修めたか否かは問題ではない。

二〇〇〇年の捏造事件もこうした系譜の中で語られることも多いが、もちろん独学であることが問題ではない。逆に、大学で考古学を修めた研究者にも言えることで、大学や研究機関だけではなく公共団体や財団法人に属するいわゆる「研究者」が、例えば仕事上の割り振りの都合でたまたま担当した遺跡が「大発見」となり、「大研究者」となった人も少なくない。発掘の、発見の成果だけが一人歩きして評価される土壌があることは確かである。

旧石器時代を中心領域とする研究者でなくとも、考古学で通史を叙述しようとすれば避けがたく旧石器に触れないわけにはいかない。二〇〇〇年以前から旧石器を研究し、かの一連の発掘調査の成果に疑問を呈してきた数少ない研究者を除けば、通史を叙述する機会を持った研究者は、その深度の差はあれ、当時の「考古学の定説」から逃れられていたわけではない。私も、一九九四年に出版した『熊襲・隼人の原像』（吉川弘文館）の中で次のように書いている。

「列島弧における人々の生活は、確実にはいまから十五〜二十万年前にさかのぼると見られるが、最近では宮城県築館町高森遺跡などで五十万年前、つまりは北京原人の時代にさかのぼる可能性もでてきた。だが、この年代の決定には、なお慎重な検討が必要とされている。

しかし、ほぼ評価の定まりつつある遺跡として、宮城県下ではこれまでも岩出山町座散乱木遺跡・古川市馬場壇A遺跡などで、列島弧でのもっとも古い足跡である旧石器の存在が認められている。

このように、現在列島弧で確認されているもっとも古い時代、三万数千年以上前の前期旧石器の確実な遺跡は、まだ南九州では確認されていない（一九九四年五月時点で、宮崎県川南町後牟田遺跡の最下層の文化層は、前期旧石器に属する可能性がでてきた。年々増加し、精度をます発掘調査により、ますます当該期の様相が明らかになってくるであろう）。九州島全体の中でも、大分県日出町早水台遺跡などは、前期旧石器の存在に重要な課題を投げかける遺跡ではあるが、まだその位置づけにはいくつかの検証が必要とされている。」

執筆した時、宮崎県内では、折から後牟田遺跡の発掘調査が行われ、新たな展開に期待があったが、まだその詳細は明らかではなかった段階である。そして、結論から言えば、私が論述の中で触れた高森・座散乱木（ざざらぎ）・馬場壇（ばばだん）Aのいずれも否定されることになった。「なお慎重な検討が必要」あるいは「ほぼ評価の定まりつつある」と言った慎重な言い回しをしているのは、遺物等について正確な所見ないしは疑問を持っていたと言うより、私自身が当該期を研究対象として真正面から取り上げたことがないため、自らの思考回路を通過しないものに対して多少なりとも懐疑的であったために過ぎない。十万年前をさかのぼることは「考古学の定説」として確実だと考えていた一方で、評価が定着するまでにはまだ多くの検証が必要だな、と少しばかり感じていただけなのである。

捏造事件と向き合う

この捏造事件を受けて、当時文化庁にいた岡村道雄さんは、批判の矢面に立たされた。東北大学に在籍中から東北をフィールドとして旧石器時代研究に専念してきたことから捏造遺跡の発掘調査の一端に関わり、国の史跡に指定していることも含めて、もう一人の主役とさえ言われる扱いを受けた。

捏造事件以前、文化庁では過去の埋蔵文化財保護行政を総括し、新たな展望を開くべく、「埋蔵文化財発掘調査体制等の整備充実に関する調査研究委員会」を立ち上げ検討を行っていた。それは、課題山積の中で誰かが着手すべき重要な仕事であったが、その牽引役は他ならない岡村さんだった。その「協力者会議」のある夜の席で、「あなたを文化庁に呼ぶことを考えたことがある」と岡村さんから告白された。もとより、それは岡村さんの胸の内から出るものではなかったが、今こうした私事を明かすのは、私の岡村さんへの仁義を通し、捏造事件に考古学研究者の一人として向き合うためである。何故なら、捏造事件を境に、掌を返したように岡村さんを取り囲む人的環境や人的関係には歪みが生じた。それは、賀川さんの自死とともに人間性にとって不幸なことだと言わなければならない。しかし、私と岡村さんは、考古学研究や埋蔵文化財保護行政に対する姿勢に共鳴・共感するところが多くあったし、私にとって敬愛する先学の一人であった。私の岡村さんへの信頼は今も変わることはないことを明確にして、考古学の根幹を揺るがした捏造事件に向き合おうと思う。

岡村さんは、ある日、もたらされる新しい考古学情報を話題としていた中で旧石器に話が及んだ時、私に「出るんだよね〜」と言った。翻訳すれば、「新しい技法の石器（型式）だけど古い地層（層位）から出るのだから認めるのだろうね」と自問に等しい発言だったのを記憶している。そうした岡村さんの発言の中に、まだ整理のつかない戸惑いみたいなものを私は感じた。「層位は型式に優先する」とは、特に捏造事件を通じて問われたことであったが、その圧倒的な自然の層位の隙間に人為の手のひらが入り込むとは考えもしなかったのである。

「層位」と「型式」

「進化論」のチャールズ・ダーウィンは、後半生を、ミミズの腐植土の土壌化に果たす役割の研究に費やした。地表面に繁茂した植物は根によって土を攪拌し、枯れた有機物はミミズなど土壌動物と呼ばれる小生物や微生物によって分解され、土壌を形成し堆積していく。もちろん、単純にこうした土壌だけではなく、岩石が風化し、粉砕された土砂となり、風や河川の氾濫によりそうした土砂が運ばれ、火山活動による火山灰の堆積など、様々な要因が重なりながら土層が形成され、遺跡は地中の下に眠ることになる。

自然堆積の土層は、簡潔（シンプル）な考え方であるが、下から積み重なって上面は地表となる。それは、同時に時間の積み重ねで、地表は今日である。そして、攪乱がない限り、下が古く上が新しい。これが基本的な「層位学」の考え方である。

「型式学」は、形態・材質・技法など一定の共通する要素で括られるものを「型式（Type)」として認識することからはじまる。車を例に取れば、角張った車が流行し、時に流線形が流行るなど時期により変化する外観と、構造や材質などの複数の要素との組み合わせで他と区別される。現在では、「××年式」と年号で呼ばれるものも、言ってみれば型式の概念である。それに対して「形式(Form)」は、材質を異にしても、ナイフの形をしたものはナイフ形石器、壺の形をした土器であれば壺形土器と呼ぶように、具体的な「形」による分類を言う。「様式(Style)」は、こうした「型式」と「形式」の地域的変異と時間的変化の総合的な概念と考えておきたい。

「旧人」と「新人」の間で

その後の後牟田遺跡の評価は固まったのだろうか。二〇〇二年に刊行された報告書『後牟田遺跡　宮崎県川南町後牟田遺跡における旧石器時代の研究』（後牟田遺跡調査団・川南町教育委員会）では、基本的には5つの文化層を捉えている。

第Ⅰ文化層を後期旧石器時代後半期として今から二万七千年前以降、第Ⅱ文化層を後期の前半期として三万三千年から二万七千年前、そして第Ⅲ文化層を中期から後期への移行期として三万五千年前、第Ⅲb層から第Ⅳ文化層を中期の後半期として四万年前前後、第Ⅴ文化層を中期の前半期として九万年から四万年前の年代としている。

最古の文化層は、第Ⅴ文化層ということになるが、その年代幅は大きく、赤くなった礫や礫の破片を人為的痕跡として認める。明確には、第Ⅲb層から第Ⅳ文化層で、剝片や鋸歯縁削器が石

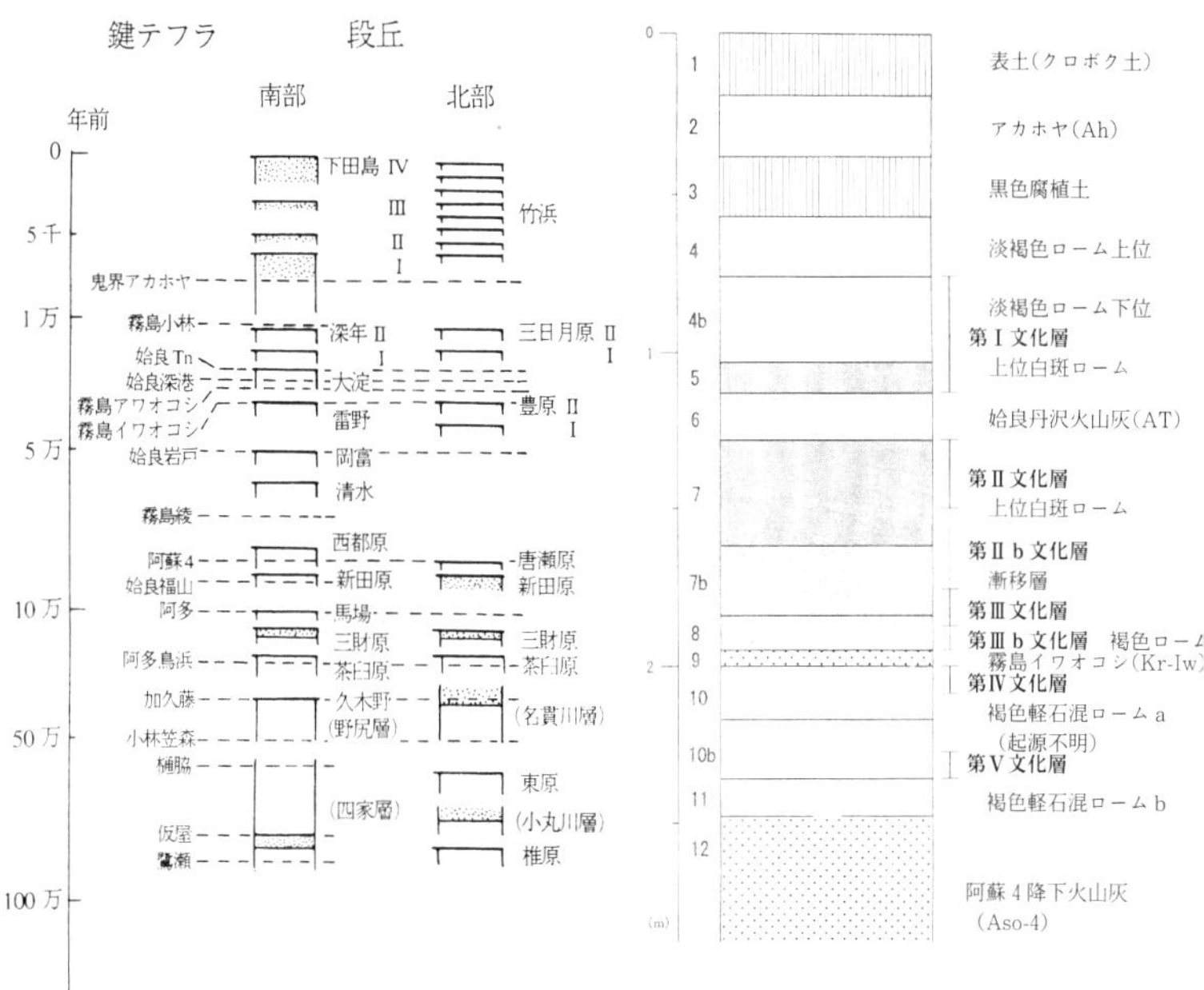

［図1－2］宮崎平野の段丘の編年と後牟田遺跡（報告書に加筆）

器として認められている。さらに、第Ⅲ文化層になりより一層本格的な人間活動の痕跡が明瞭になるとしている。また、いずれも基本的には自然の状態を多く留める礫塊石器が中心になるものと指摘している。

結論的には「最古」を限定的な年代で示すことはできないが、いずれにしても三万年以前という時間の尺度が持ち込まれることが明らかにされたことは、人類史上の大きな進化と重なり、依然として大きな問題であることは間違いない。

人類の進化について、本文に猿人↓原人↓旧人↓新人とそれぞれの年代幅を示して記述したが、これは大きな目安となるモデルと考えておいた方がよさそうである。現在では、このように直線的に段階を踏んで進化したのではなく、枝分かれするように分化し、時には並存しながら進化してきたと考えられるようになったからである。

原人の一部は、五万年から三万年前まで生き延び、逆に新人の一部は三万年以前に分化していたと考えられるようになった。そして、旧人は、原人と一部並存し、また新人とも並存しながら三万年前に姿を消した。そうなると、今から三万年より古い時代、私たちの直接の祖先となる新人と、別の種としての人類である原人と旧人の三種が、この地球上に共存していた時代があることになる。

もし、一堂に会した瞬間があるとしたら、それは刺激的な光景である。

火山灰を物差しとして

この後牟田遺跡での年代を考える上で大きな役割を果たしているものが、火山灰の年代である。特に火山地帯の日本列島では、広域に降灰した火山灰が列島を横に貫く時間の物差し鍵層となる。

遺跡の年代の最も遡る上限となったのが、現在の阿蘇山の火山活動に由来する火山灰であった。三十万年前以降大きくは四回の大爆発を繰り返したとされるが、その四回目の活動による噴出物を阿蘇四火山灰と呼んでいる。その年代は八万四千年から八万九千年前である。現在の高千穂町の観光名所高千穂峡は、こうした阿蘇火山の火砕流によって形成された。阿蘇溶結凝灰岩と呼ばれ、典型的な柱状節理を生み出すことであの神秘的な景観が生み出された。

高原町のシラス台地

県北の景観を決定付けたこうした阿蘇火山に対して、県南の景観を決定付けたのが現在の桜島と錦江湾であった。この錦江湾の最奥部、桜島の北側が姶良カルデラと呼ばれる大火山であった。その噴出物の火山灰は、神奈川県の丹沢で初めて認識され、その後、姶良起源であることが確認され姶良丹沢火山灰、丹沢は「Ｔｎ」と記号化されて表記されるが、今から約二万四千年から二万五千年前の噴火であるとされている。ややこしいがその火砕流は、最初に報告された国分市の地名から入戸火砕流と呼ばれている。ちなみにこの年代は、後に述べる最新の科学的な年代測定法(暦年較正年代)によれば、更に古い値である約二万七千年前との数値が与えられている。この姶良カルデラもこの時期の他に、古くは約六万年前に遡る過去に三度ほどの大噴火を起こしている。

想像力を逞しくして欲しい。高千穂峡を形づくる阿蘇溶結凝灰岩を、都城盆地や鹿児島県に広がるシラス台地を、そっくり取り除いた情景を。高千穂峡は九万年前には、シラス台地は三万年前には無かったのだから。

第二節

火山と共生――早すぎた成熟

土器の発明――土器誕生の地南九州

三内丸山遺跡（青森県青森市）が賑やかである。五千五百年前から四千年前にかけての遺跡である。それに対して南九州は、さらに古い時期の縄文遺跡で全国の注目を浴びている。今、縄文時代は北と南が熱いのである。

土器の発明は、人間にとって革命的な出来事であった。粘土は、単に乾燥させただけでは、水気を含めばまた元の粘土である。しかし、いったん五百度以上で加熱すると固く焼きしまった土器となる。化学的に結びついている粘土の分子中の水分が失われるためである。元の素材の性質とは異なる性質の物質を誕生させる、化学変化を利用した人間最初の産物であった。

日本列島での土器の誕生は世界的にも早い。今から一万数千年前のこととみられている。爪を連続して押し当てた爪形文、粘土紐を張りつけ刻みをつけた隆帯文をもつ一群の土器は、一万一千年前の桜島噴火による火山灰の下から出土する出現期の土器の一つである。県内では蔵田遺跡

国富町塚原遺跡出土の隆帯文土器（上、右上、中央）宮崎市椎屋形遺跡出土の爪形文土器（中左、下）

（延岡市北方町）、三幸ケ野（みこうがの）第二遺跡（串間市）など、南九州を中心に出土している。

土器誕生の解明には、まだ解決しなければならない課題が多い。しかし、南九州はその有力な候補地の一つとして目されている。中でも栫ノ原（かこいのはら）遺跡（鹿児島県加世田市）が、質の高い精神文化を併せ持つ大規模な遺跡であることが確認され、少なくとも日本列島の他地域に先駆けて、南九州に高度な土器文化が花開いていたことは認められるのである。

壺という形——文化の成熟

現代社会にはさまざまなフォルム（形）が満ちあふれている。ときに本来の機能美から離れ、形式美だけが一人歩きしている。

一万年の長い縄文時代の中で主流だったのは、食生活を大きく変革した煮炊きという機能に適した深い鉢形の広口の土器であった。しかし、貯蔵に適した壺（つぼ）や食物を盛る浅鉢など、器の形が多様化するのは、早い土器の誕生からすれば七千年もの歳月を経て、ようやく東日本を中心とし

漆野原出土の壺

南九州出土の様々な形をした縄文の壺。ラグビーボールのような横長の球体の胴部は動物の皮で作った皮袋がモチーフとなっていると思われる

た地域に始まるとするのがなかば定説であった。

ところが、土器の誕生から程なく熊本県南部を含む南九州に、壺形の土器が存在することが近年明らかになってきたのである。それまでにも壺と見られる土器片は存在した。だが、完全な形を残すものがなく、さきの定説に従えば積極的に壺と判断する確証がなかった。

その見直しのきっかけは、一九八九年に小学生によって発見された下薗遺跡（都城市）の一個の土器であった。それは完全な形の壺であり、出土した地層は確実に六千年以前にさかのぼるものであった。

以来、永い間「弥生の壺」として県総合博物館に所蔵されてきた野尻町漆野原出土の土器も実は早期のものと再認識され、上野原遺跡（鹿児島県国分市）では完形の壺が二個並んで出土するなど

大規模な炉穴群
（西都市・佐土原町別府原遺跡）

札の元遺跡の炉穴

類例は増え続けている。

木の実や液体類を貯蔵するため、小さな口の器を作る知恵を南九州の縄文人は早い時期に獲得していた。壺という器の形が文化の成熟を象徴する。そこでのフォルムには重い意味がある。

〝クンセイ〟──生活様式の変化

「買い物かご」は、夕餉(げ)の温もりと母親の匂(にお)いをイメージさせた。それがスーパーの袋に変わり、大量の食料が保存できる大型冷蔵庫の普及は生活スタイルも変えた。

保存がきく格別の風味のクンセイの発明は、季節をこえた食生活の知恵であった。その起源は、南九州の縄文時代の始まりにまでさかのぼり、壺形土器とともにその文化の成熟度の証である。

集石遺構の蒸す調理から、次に考え出されたのが燻(いぶ)す調理であった。その調理の跡を炉穴(ろあな)と呼ぶ。地面に縦穴を掘り、さらに横に掘り進み、先端から煙突を掘り抜く。燻す食材を煙突の上に置き、縦穴の床面で焚き火をする。煙突に吸い込まれる熱と煙で燻される仕組みである。

通常は深さ五〇センチ、長さ一メートルほどだが、椎屋形第2遺跡（宮崎市）では、深さ一・五メートル、長さ三メートル以上と大規模なものもあり、天井部が崩壊すればモグラのように掘り進み、連続して掘のようになる。

炉穴は、石蒸し調理ほどには継続性を持たず、縄文時代の始めから九千年前までの早い段階で南九州では姿を消す。一方、関東地方では遅れて七千年ほど前から普及するため、南九州から広がったものと考えられている。

炉穴の実験結果では、燻すのに三―五時間を要する。集石遺構に比べて、穴を掘る労力、そして燻す時間といい、手間のかかる調理であったに違いない。栫ノ原遺跡で床土の化学分析が行われ、脂肪酸が検出された。垂れた肉汁が土に染み込んでいたのである。

縄文の海と森と山

波打ち際に子供たちの笑い声が上がる。彼らも一人前の働き手である。打ち寄せる波を浴びながら貝をとり、遠浅の海に出ては魚をとった。今から六千数百年前のある日、現在の宮崎市相生橋周辺の場景である。

地球規模での平均気温二℃ほどの温暖化により氷河がとけ、六メートル前後の海面の上昇が引き起こされた。それを「縄文海進」と呼ぶ。宮崎平野は海の底、河川敷ゴルフ場は縄文人にとって絶好の潮干狩りの場所であったに違いない。その証拠に、直純寺周辺には柏田貝塚、大淀川を挟む生目古墳群の立地する台地には跡江貝塚が営まれている。

気候の温暖化は一方では植生の変化をもたらした。綾町に残る照葉樹林は、一万年程前から南九州を覆いはじめ、海進が最も進む六千年から五千年前の間には、西日本に広がる。すなわち一万年より以前、南九州の地は落葉性と常緑性の植生が共存し、ドングリなど豊富な木の実を得ることができた。土器の発明は、それらのアクを煮て抜くためであった。そして、やがて広がる照葉樹林に適合し、壺を生み出すま

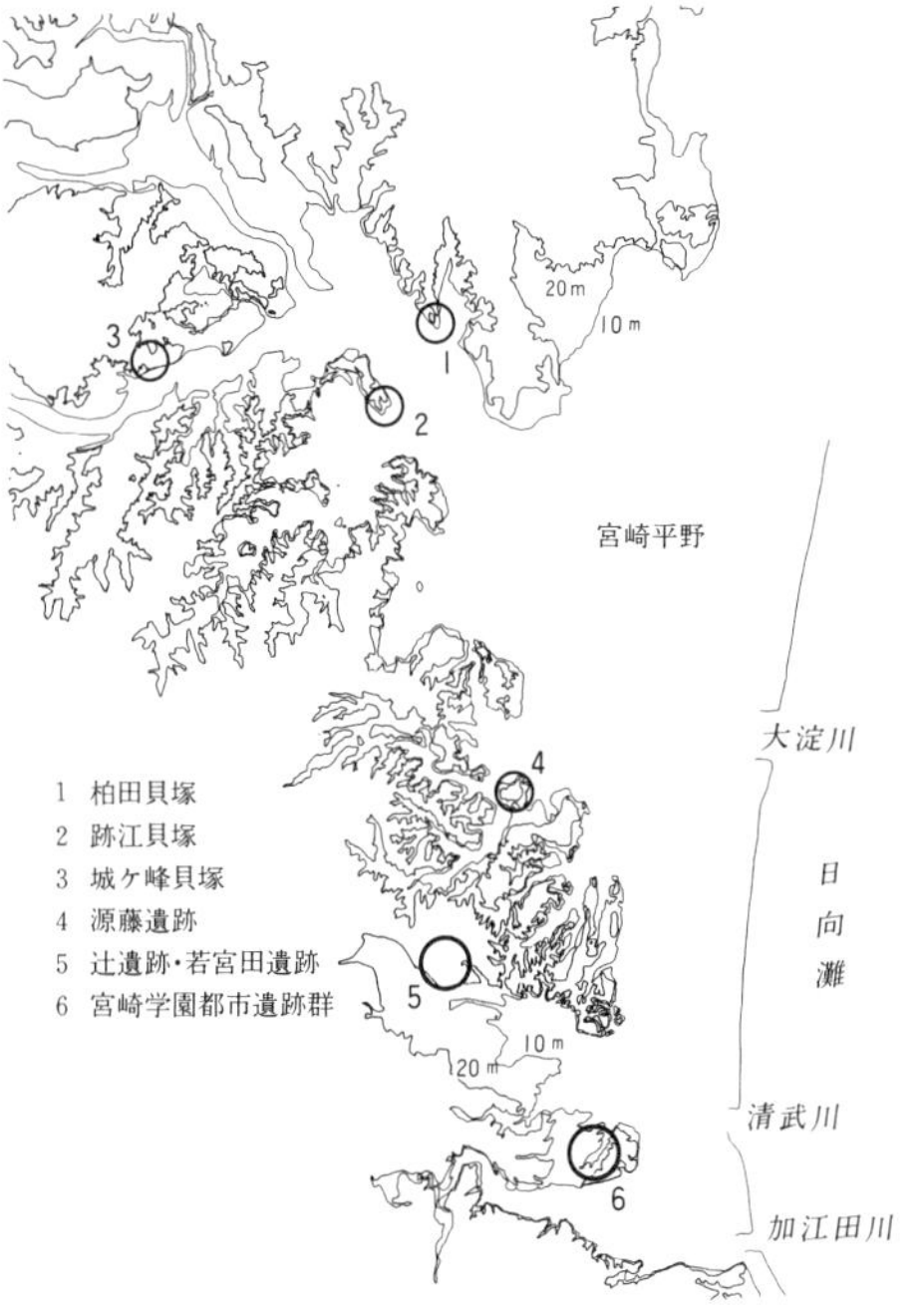
20m
10m
1
2
3
宮崎平野
大淀川
日向灘
4
5
6
10m
20m
清武川
加江田川
1 柏田貝塚
2 跡江貝塚
3 城ケ峰貝塚
4 源藤遺跡
5 辻遺跡・若宮田遺跡
6 宮崎学園都市遺跡群

［図1－3］縄文海進期の宮崎平野と貝塚や遺跡所在地（宮崎県史　通史編　原始・古代1より）

でに南九州の縄文文化は成熟していったのだ。

しかし、花開いたこの縄文文化は、薩摩半島の南の海上、鬼界島を含むカルデラの噴火で突然終わりを告げる。シラス台地を生み出した火山噴火より規模は小さいとはいえ、その火山灰は遠く東北地方や海を越えて半島にまで及ぶものであった。

波打ち際から子供たちの笑い声が消えた。ながい避難生活が始まる。

貝殻文土器――南九州ブランド

南九州の縄文土器には、その名前の由来である縄目の紋様がない。もし、南九州でこの土器・時代の研究が出発していたら「貝文土器時代」の名前が定着したはずである。

考古学では縄文時代を草創期（一万二千～一万年前）、早期（一万～六千年前）、前期（六千～五千年前）、中期（五千～四千年前）、後期（四千～三千年前）、晩期（三千～二千三百年前）と六期に区分している。区分の節目は、文化を象徴する土器の形や紋様の変化である。早期の永さが目につくのは、土器が誕生した草創期から土器文化が徐々に浸透してゆく、いわばウォーミングアップの早期、そして加速度を増して成熟してゆく前期以降として理解をすればよいかもしれない。

南九州が列島の他地域に比してその成熟を示したのは、早期のことである。その早期にわずかに縄紋を施した土器が見られるが、それでも主流は貝殻の紋様をもつ土器であった。貝殻の縁で

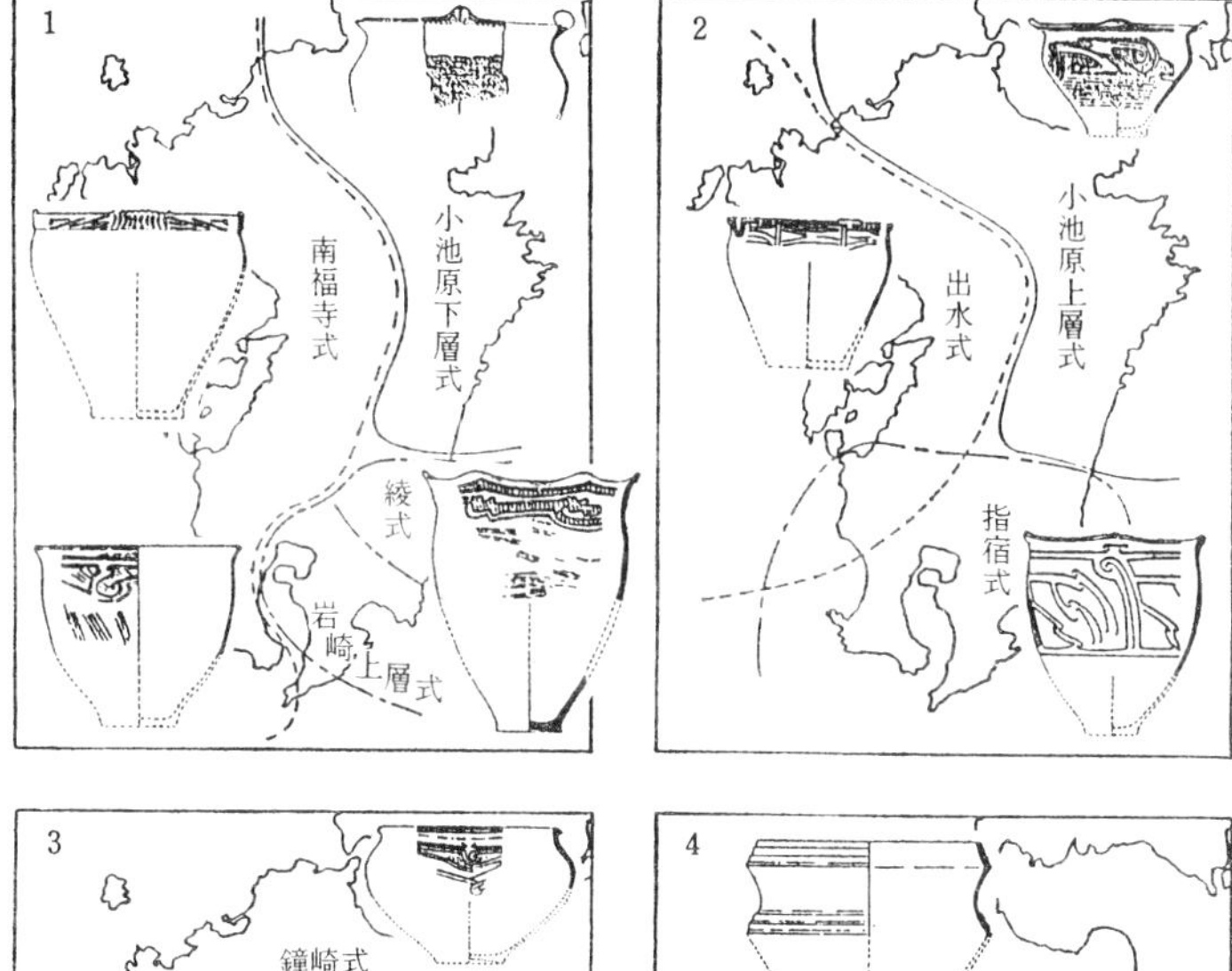

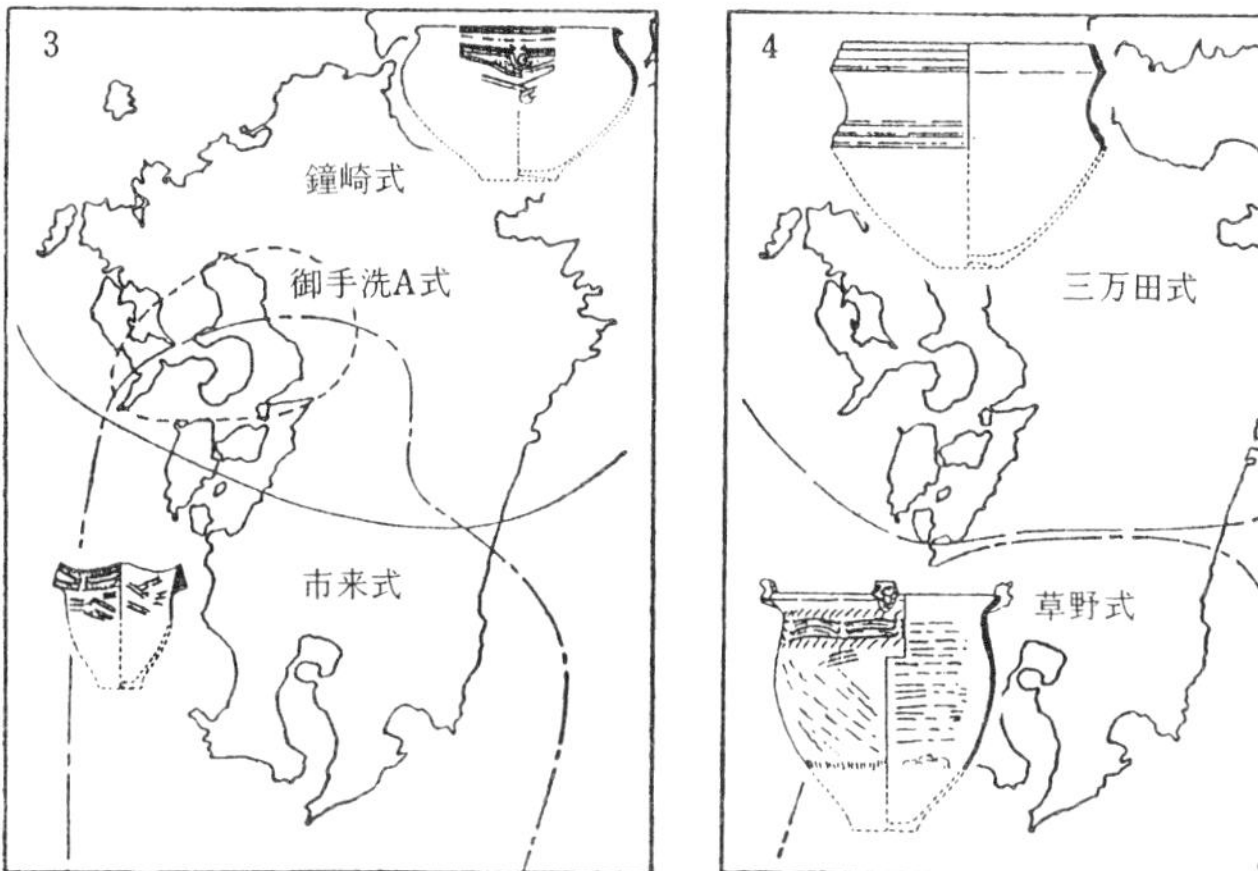

［図１－４］九州縄文後期土器文化圏とその推移

（乙益重隆・前川威洋「九州」『新版考古学講座』３、1978年より集図作成）南福寺・出水式は中期の伝統をひく凹線文土器、小池原・鐘崎・三万田式へと磨削縄文の系統が受け継がれる一方、綾・指宿・市来・草野式は貝殻文の在地色の強い土器の流れである。

南九州ブランド・貝殻文土器
（右は下弓田遺跡、左は綾町尾立遺跡出土の縄文土器）

土器の器面を整え、縁を押しつけてギザギザの紋様を生み出した。貝殻を多用したのは、南九州の縄文人にとって海への親しみが他地域より強かったからに他ならない。

六千数百年前の、今アカホヤと呼んでいる火山灰降灰の被害に打ちのめされ前・中期の遺跡は少ないが、後期に至ると南九州縄文人は貝殻の紋様を多用した土器文化を生みだし確実に復興をとげてゆく。下弓田遺跡（串間市）出土の「貝文土器」などは、彼らの血と汗が生み出した南九州独自のブランドなのである。

住居の住み分けと円環のムラ

どのような豪邸に住んでも家族団欒のスペースは、おそらくテレビの前の三畳ほどのものであろう。

旧石器時代の住居跡を確認することは困難である。有名なのは当時のプロ野球近鉄梨田捕手の宅地建設予定地で検出された、円形に柱を回すテント風の竪穴住居跡。ただし、石器を打ち欠いた破片が数メートルの範囲で検出されることがある。そ

新しい集落のあり方を示す平畑遺跡

れを住居の中と見るか、破片の飛び散った床には寝れないであろうから屋外作業場か、と論議は分かれる。

縄文時代になると住居跡もはっきりとしてくる。地面を掘り窪めた竪穴住居の大きさは、おおよそ三畳、六畳、十二畳といった三種類である。三畳の住居も家族の団欒にとっては十分な大きさである。早期の住居跡は札ノ元（ふだのもと）遺跡（宮崎市田野町）、後期では丸野（まるの）第2遺跡（同）などで確認されている。平面が方形と円形になる二種類の住居があるが、はじめ方形が主流で、後期後半から円形が一般的となった。

そして、縄文時代の集落には円環の法則があったと考えられている。中央を広場としてそれを環（わ）のように取り巻き住居が立ち並んでいた。住居が個別の敷地に属するのではなく、広場が住居のまとまりの中心であった。しかし、後期から晩期にかけての県内では大規模な縄文集落である平畑（ひらばた）遺跡（宮崎市）では、円環の意識から脱した新しい集落の在り方が見えている。

失われつつある住まいの場の団欒と、集落の環が教える人間の和を今一度思い起こしたい。

弓矢と石器

毛利元就は三本の矢をもって一族の団結を説いた。縄文人は弓矢をもって生きる知恵と勇気を息子に説いただろう。

弓矢の発明は、土器の発明とともに縄文時代を画するものであった。精緻な大小の形の石の矢尻が作られ、獲得しようとする獲物によって使い分けられていたものと考えられる。そして、覚えていて欲しい。縄文人は決して引き絞った弓矢の先に人間を据えることだけはしなかったことを。

石器は、旧石器時代に引き続き重要な利器の役割を担った。そして、その種類も豊富になっていった。狩猟のための石鏃（矢尻）、樹木伐採用の石斧、漁労網の重りや織物のために用いられた石錘、匙の役割ではなく皮剝ぎ

上：石錘（西都市・佐土原町別府原遺跡）
下：石鏃（鹿児島県福山町城ヶ尾遺跡）

右上：スクレイバー、左上：石匙、右下：抉入石器、左下：石錘
（鹿児島県福山町城ヶ尾遺跡出土）

やナイフとして用いられた石匙（いしさじ）、木の実などを擦り潰す磨石（すりいし）、その受け皿・台である石皿など縄文人の衣食住を支える道具の多くが石という素材をもとに作られた。

こうした石器の出土から人間生活の何が復元できるのか。遺跡によって、出土する石器の種類の割合が異なる。たとえば、数少ない前期の柿川内第1遺跡（野尻町）では狩猟具の矢尻に比べ、植物食料加工具としての磨石、石皿の占める割合が高くなっている。すなわち、火山灰被害から周辺植生の回復が始まり植物質の食料への依存が高まってきたことを示している。

また、石錘の出土量は、漁労への依存度を示し、石斧の出土量は、森林伐採による集落とその周辺地の開発の度合いを教えてくれるのである。

縄文復古――土偶と南九州

南九州の縄文文化には、土偶がない。土偶といえば、妊娠した女性を主にかたどった土製の人形である。多くの場合、打ち欠かれた状態で出土することから、再生の祈りや豊穣の祭りに使われたと考えられる。

しかし、教科書などでおなじみなのは、東北地方を中心とした土偶で、それに比べると九州地方は極端に少ない。ところが、縄文時代も終わりに近づいた後・晩期になって、思い出したように北部九州を中心に土偶が登場する。熊本県阿蘇外輪山周辺の遺跡は、一遺跡で多量の土偶を出

陣内遺跡からは、土偶をはじめ、石棒、石刀、十字形石器、玉類など特異な遺物が出土している

土するなど重要な地域である。それから南の地域は薩摩半島などに、わずかに数例が確認されるに過ぎない。

その一つ、県内では唯一ともいえる陣内（じんない）遺跡（高千穂町）の土偶がある。その他、岩戸神社に土偶と見られる遺物があるが、残念ながら出土地など詳細は不明である。

何故、縄文時代も終わりに近づいて、九州の地域に遅まきながら土偶が登場したのか。それは、半島から列島に打ち寄せようとする大きな文化の波のせいであったとする考えがある。その象徴が稲作である。従来は稲作の開始をもって弥生時代としていたが、菜畑（なばたけ）遺跡（佐賀県唐津市）などの発見で、少なくとも縄文晩期としていた時期に稲作が始まっていたことがはっきりしてきた。

新たな変革の時代が幕を開けようとするとき、それにあらがうように古い時代への復古意識が台頭してくる。土偶は、王制復古ならぬ縄文復古の現れというわけである。

「編年」と「分布」

「編年」は時間軸の中で、「型式」の変化を進化あるいは退化として捉え、また「層位」の物差しを当てながら、その相互の関係を古いか新しいかで組列する。「分布」は空間軸の中で、「型式」の地域的な広がりを捉えるものである。

新古の組列は、相対的な時間の関係として捉えられるが、その中に絶対的な時間の定点となる物差しの目盛りを作ることで世界史との比較も含めて、初めて歴史叙述の資料とすることができる。もとより、全ての遺構・遺物に絶対的な時間を求めることは、不可能に近い。しかし、できるだけ細かな目盛りが欲しいが、目盛りの幅をどこまで細かく設定できるかが課題となる。

一方では、現実的には、たとえば土器を例に取れば、土器が製作され、使用され、廃棄されるまでの間に一定の時間が流れている。現実の私たちの生活を見ても、子供の頃購入した古いものから、大人になって購入した新しいものまでが「今」という瞬間に共存している。そうした時間差の幅のあるものを通して「今」という時点を限定することは、極めて難しい課題なのである。

また、一つの型式は、列島全体を覆うように普遍的に存在するのではなく、一定の地域の範囲の中で収束する。例えば、広域的には、九州・四国・中国などといった範囲が地理的に成立するし、さらに九州の中も山地や水系などを境界として、時には結節として東と西、あるいは北と南で違いが生じる。それは、人の行動の範囲や物品の移動が、一定のネットワークを形成しつつも、その限界も生み出すためである。伝達や交流・交易の限界には、社会的制約も働いている。従って、「分布圏」は、「型式圏」であり、具体的な人間行動の在り方を復元しようとすれば、「婚姻圏」として検討を加えることも必要となる。

年輪から年代を測る

弥生時代の開始が、五百年古くなるとする年代観が国立歴史民俗博物館の研究チームから発表された。それは、弥生時代だけではなく、同時に縄文時代の年代にも大きな変更を迫るもので、従来の考古学の年代観に大きな衝撃を与えた。

要は、放射性炭素年代測定法に、微量の試料でも誤差の少ない測定ができるAMS法という最新の測定法が取り入れられ、これに年輪年代法を活用した補正修正を加えることにより、従来の算出されていたデータより古い年代を示すデータがはじき出されることになったのである。

年輪年代法とは、気候の一年の周期がはっきりした地域に育つ樹木が、夏場の柔らかな部分と冬場の硬い部分を形成する年輪から、年代を割り出す方法である。同心円状に年輪が形成される樹種が適しており、現在では、ヒノキ・スギ・コウヤマキ・ヒバ（アスナロ）の年輪によって、基準の物差しが整備されている。

年輪の幅の広い・狭いという連続的な変化をグラフ（標準年輪曲線）で表すと、それは地球の気候変動に対応するものであるので、たとえ違いが微差であっても全く同じパターンが繰り返されることはない。ただし、短過ぎてはパターンの重なりが少ないので、比較するためには少なくとも百層以上、すなわち百年以上の年輪があることが望ましいとされる。物差しとして整理され

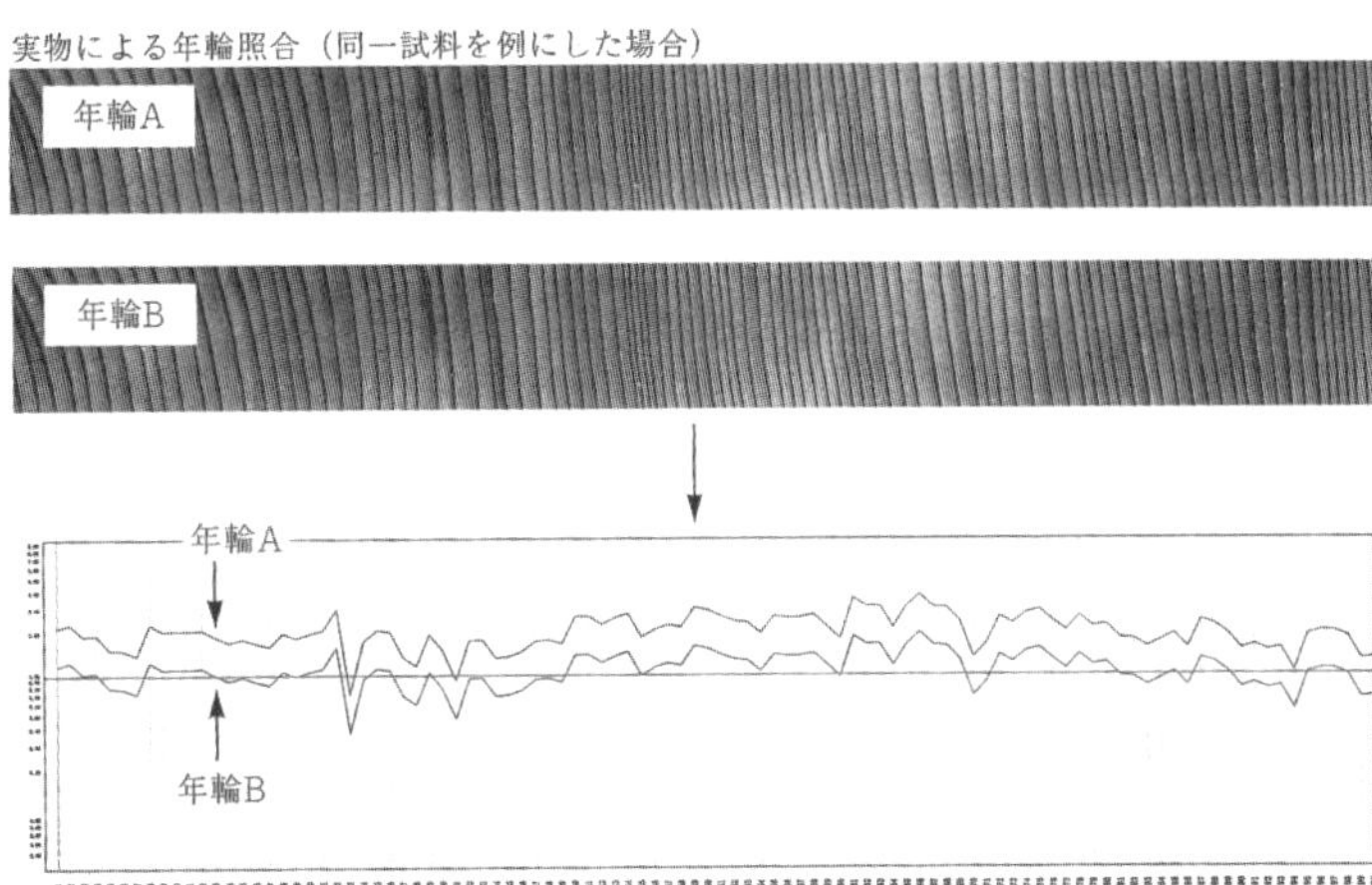

［図１－５］年輪パターングラフの照合（横軸に等間隔で年代、縦軸に年輪幅を対数で表示）

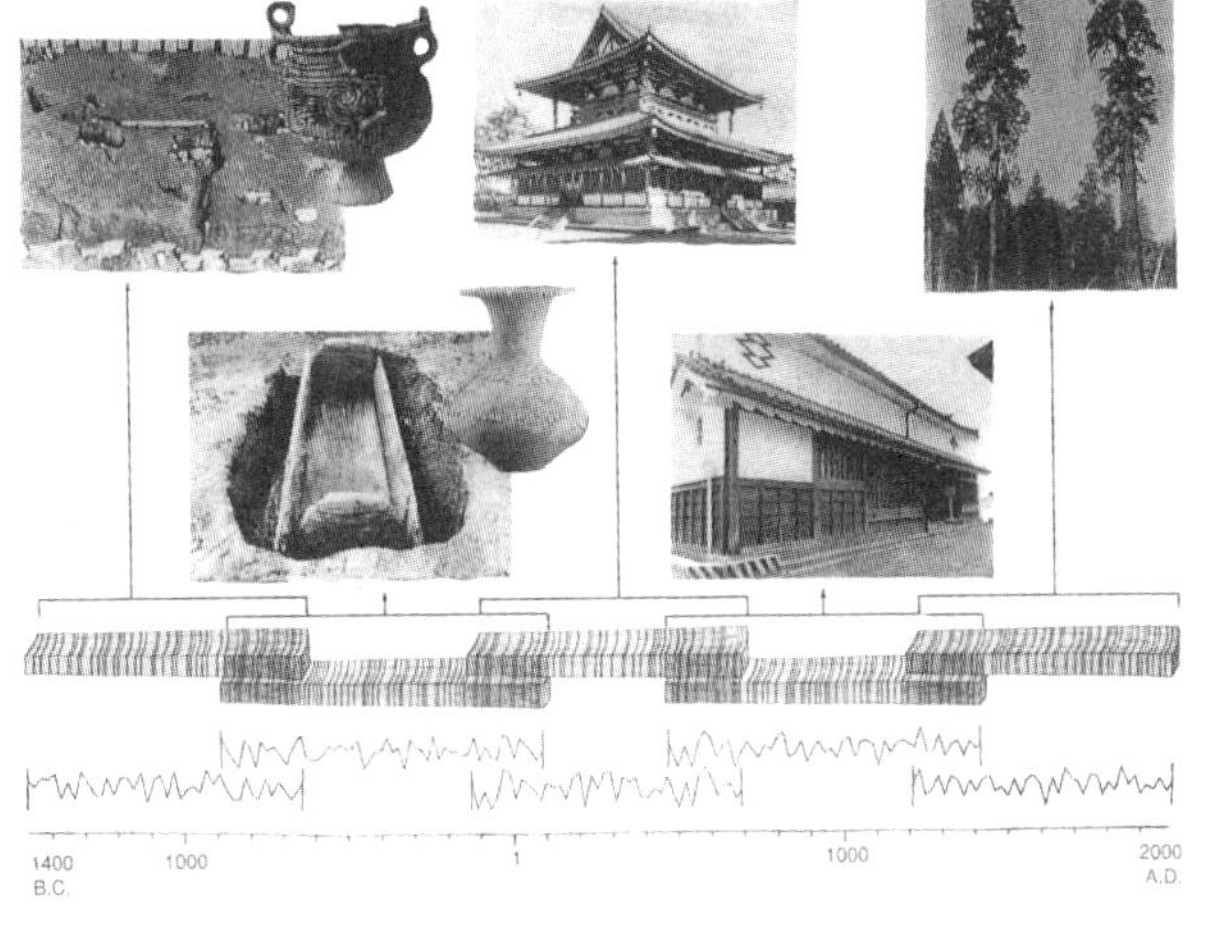

［図１－６］長期の暦年標準パターンの作成法
（いずれも奈良国立文化財研究所「埋蔵文化財ニュース」99号(2000年６月30日)より）

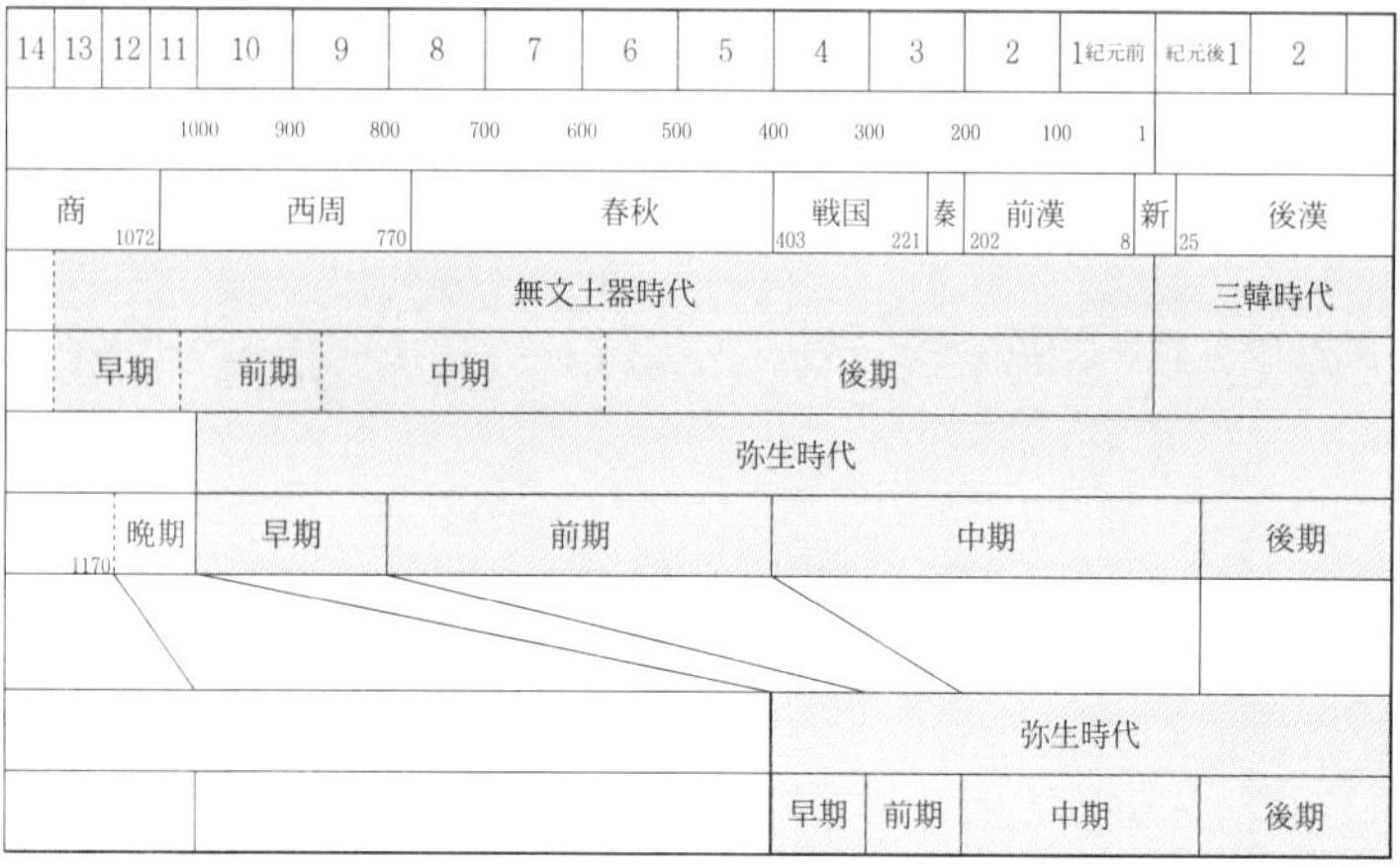

14	13	12	11	10	9	8	7	6	5	4	3	2	1紀元前	紀元後1	2
				1000	900	800	700	600	500	400	300	200	100	1	
	商	1072	西周			770	春秋			戦国 403	221 秦	前漢 202	8	新	25 後漢
	無文土器時代													三韓時代	
	早期		前期			中期		後期							
				弥生時代											
	1170	晩期		早期		前期				中期				後期	
										弥生時代					
										早期	前期	中期		後期	

（『歴史を探るサイエンス』国立歴史民俗博物館、2003をもとに編集）

たグラフ（世界的には約一万年前までのものが作成されている）に、測定したい試料から得られた年輪のグラフを重ね、指紋認証のように照合して合致する部分を探せばよい。そこが求める年代である。一年の単位で絶対年代を決定できる画期的な年代測定法である。

ＡＭＳ法による年代論

炭素14、^{14}Cとも略される放射性炭素の濃度が、一定の期間で半減していく性格を利用した年代測定法は、一九四九年にW・F・リビーによって開発された。リビーは五千五百六十八年の半減期を採用したが、最近では五千七百三十年の半減期が、いずれもプラスマイナスの幅を持つ数値であるけれど、より実際的な数字であるとされている。

なお、現在からではなく、一九五〇年を基点として何年前と計算される。その一九五〇年には、年間の核実験が四十回を超え、放射性炭素の濃度

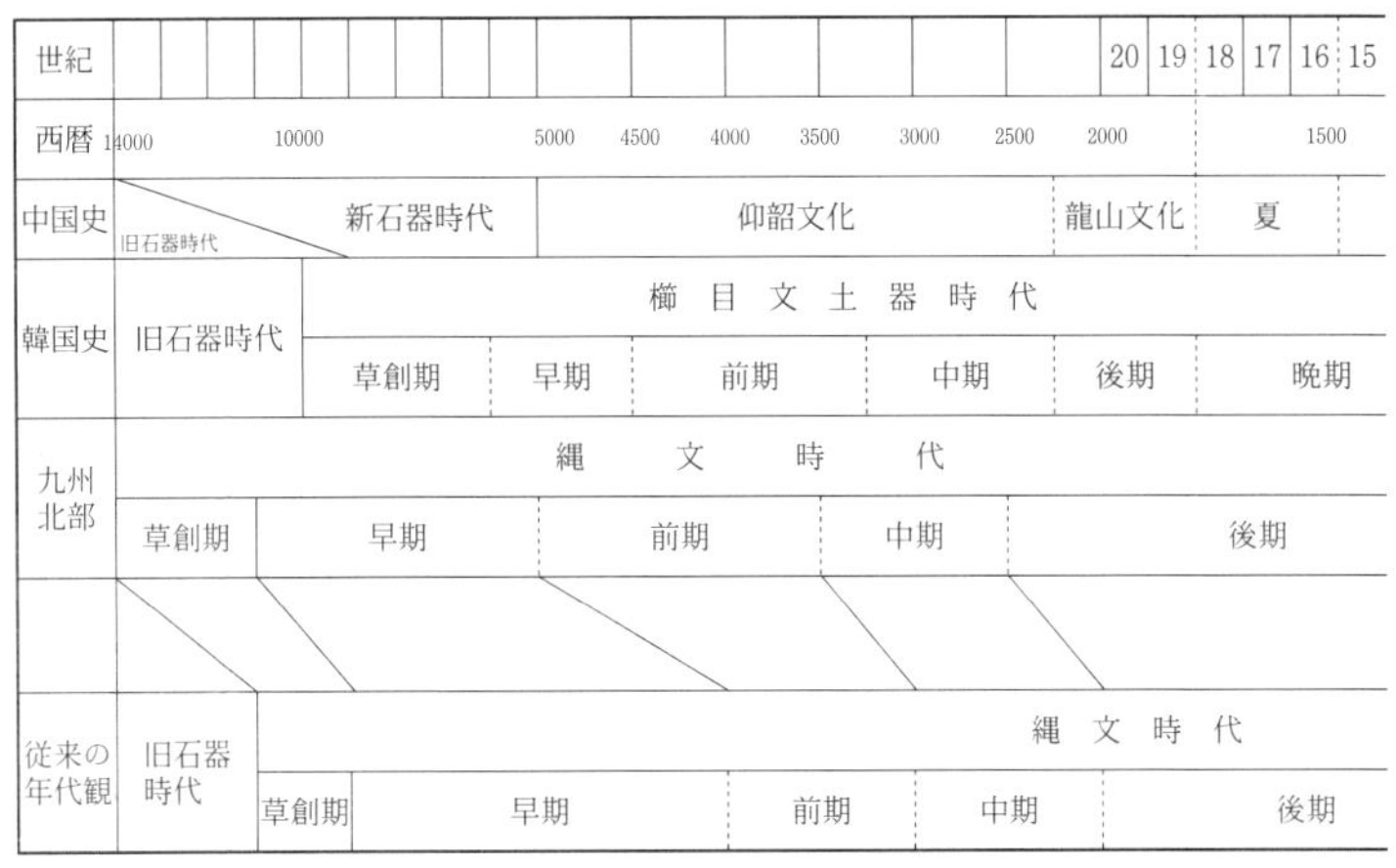

［図１－７］炭素14較正年代による縄文・弥生時代の暦年表

が高くなることにより自然環境の状態としては測定ができなくなったのである。もとより、その五年前の一九四五年七月に人類最初の核実験が行われ、その翌月広島・長崎に投下された。この年代測定法は、現在考古学のみならず地質学や化学・物理学などに大きく寄与をしているが、リビーが核開発計画に加わっていたことは、研究者の社会的責任の問題として記憶に留めておきたい。

　放射性炭素年代測定法で問題となっていたのは、太陽活動や地磁気の変動によって、放射性炭素の濃度が一定ではなく経年変動することであった。そこで、年代の判明している樹木年輪の放射性炭素の濃度を測定することで、「実年代」と「測定年代」との間に生じる差を修正する「較正値」が求められることになった。こうして放射性炭素年代を実年代に転換することを「暦年較正」と呼び、その転換するための物差しを「較正曲線」という。これに、新たに測定したい試料から得られた測定年代値が重なるところが補正された求める年代となる。このより精度の高く導き出された年代が、「較正年代」である。

つまり、新たな資料が発見されることにより年代の更新が行われたのではなく、対象とする資料は同じであるが、いわば計算方法が変わって、その方法で算出すると年代が古くなったと言うことである。従って、弥生時代の始まりに留まらず、これまで測定されてきた数字全体もおのずから更新されることになった。

縄文時代の始まり、つまり最古の土器の誕生は、一万三〇〇〇年前から三〇〇〇年古くなり一万六〇〇〇年前となり、縄文時代の各時期の年代も古い数値へと更新されることになったのである。国立歴史民俗博物館の二〇〇三年の報告（『歴史を探るサイエンス』）によれば、おおむね草創期は一万六〇〇〇年（紀元前一万四〇〇〇年）から一万二〇〇〇年前（紀元前一万年）、早期は一万二〇〇〇年から七〇〇〇年前（紀元前五〇〇〇年）、前期は七〇〇〇年から五五〇〇年前（紀元前三五〇〇年）、中期は五五〇〇年から四五〇〇年前（紀元前二五〇〇年）、後期は四五〇〇年から三二〇〇年前（紀元前一二〇〇年）、晩期は三二〇〇年から三〇〇〇年前（紀元前一〇〇〇年）といった年代が割り振られている。

なお、アカホヤの較正年代も、かつては六三〇〇あるいは六五〇〇年前とのデータがあることから六〇〇〇数百年前としていたが、一〇〇〇年古くなり七三〇〇年前に遡っている。

ただ、こうした測定値について、すべての考古学研究者が諸手を上げて賛成しているわけではない。得られた年代と考古資料の全体像を復元的に検討する時、考古資料の示す年代観との間が必ずしもすっきりと整理されているわけではないからである。

縄文の始まりにおける南九州

縄文草創期の上猪野原遺跡（清武町）の発掘調査の成果は、二〇〇七年の大きな成果の一つとなるであろう。草創期では、鹿児島県の掃除山遺跡（鹿児島市）で二軒しか検出されていないように、十軒を超す住居跡が確認されたことは重要である。縄文時代の始まりの時期におけるこの住居跡の数は、南九州におけるいち早い定住生活を明らかにするものである。草創期中頃から終末にかけての時期と見られる竪穴住居の平面形は、楕円形を呈し、最も大きな住居は、長径五・五メートル、短径三・五メートルを測る規模である。

上猪野原遺跡全景（下）と2号住居写真（上）

こうした南九州における縄文時代の早い段階での成熟については、鹿児島県の上野原遺跡（国分市）が、早期を中心とする集落の全容を現したことで、東北地方を中心とした東日本が、遺跡数から人口も多く成熟した社会を営み、西日本は人口が少ないという「東高西

縄文の土製耳飾り・玦状耳飾りなどの装身具

低」と考えられてきた縄文時代観を大きく書き換えるものとして注目を浴びた。むしろ古い段階では、「西高東低」であったのだ。

土偶は、南九州には無いに等しいが、上野原遺跡から出土した簡素な土偶が示すように、むしろ早い時期の土偶の誕生は南九州にあった。國學院大学の小林達雄さんは、直接的な道具としての役割ではなく、呪術的なものや精神世界を表現したものを「第二の道具」と呼んだ。

その一つ、耳飾りなどの装身具も早くに誕生していた。小振りのドーナツのような土製耳飾りは、ヘラで模様を描いたものや赤色顔料を塗ったものも含んで、鹿児島県の城ヶ尾遺跡（福山町）、出水平遺跡（大隅町）などから出土している。また、石を加工して一部に切れ目を入れた玦状耳飾りは、下猪野原遺跡（清武町）、永迫第2遺跡（宮崎市）などから出土している。玦状耳飾りは、切れ目に耳朶を挟むのだろうが、土製耳飾りは、土偶の表現から耳栓として耳朶に開けた穴に着装するものだったらしい。ピアスはしたくはない。

全体像を現した環状集落

一方、縄文時代も終わりを迎えようとする頃の後期の成果として、二〇〇一年に始まる本野原遺跡（宮崎市田野町）の発掘調査も、南九州の縄文社会像に新たな光を当てるものであった。

中部・関東地域を中心として東日本を中心に、縄文時代の集落の在り方として、広場を中心に住居などが環状に取り囲む「環状集落」がある。もっぱら典型的な環状集落が東日本で確認されることから西日本には環状集落は存在しないとも考えられてきた。しかし、断片的ながら丸野遺跡（宮崎市）などでその片鱗を見ることはあったので、私は南九州の縄文集落が円環の原理からどのように脱し、どのような集落景観を形成したのかを考えてきた。例えば、縄文後期から晩期に到る平畑遺跡（宮崎市）は、どのように見ても環状の意識を見出すことはできず、南面する緩やかな傾斜に添うように住居が立地する景観が想定されるものだった。

東日本においては、土偶祭祀などにより集団内部において強力な紐帯を持ち続けることが、同時に求心力の象徴としての共通の広場を持ち、同心円的な距離感を相互の家族や個人の位置付

本野原遺跡(上)。その中心広場の窪みには人物大の石が配列されている(右)

けとすることの具体的な現れとして、環状集落が形成されるものと考える。そうであれば、逆に環状集落を形成しない集団における求心力とは他に求められるべきで、並列的な相互の家族や個人の存在を支持していると見ることができる。

しかし、初めて本野原遺跡で全容を現した環状集落は、周辺に点在する広域的な集落間の中での中核的な集落として、その位置を占めるものと理解される。標高一八〇メートルの台地北側は、緩やかな高台になり、集落の全景が見渡せる。その中心広場は、大規模な造成によって、あるべき自然の堆積層が削平されている。そして特殊な台付き皿の出土が示すように、窪みの中心は祭祀を行う聖なる空間として人頭大の石が配石されている。そして、その窪地を縁取るように、あるいは放射状に各種の遺構が配置される。配石遺構、土坑、掘立柱建物、竪穴住居、盛土、土器廃棄場、道路遺構など、集落を構成するすべての要素を確認することができた。後期中葉に想定される竪穴住居は十五棟ほど、最低でも三時期に分けられ、同時には五棟前後で集落が構成されていた。

台地を縁取る低地の南には南の山々、その中心となる鰐塚山の頂に、今は情報発信基地としての放送塔が建っている。今から四千年前の南九州の縄文人は、その神聖な山からどのような情報を受け止め、集落の中に何を託そうとしたのだろうか。しかし、後期中葉をピークにして、それも解体へと向かう。その背景には、やがて来る新しい時代の予感があった。

本野原遺跡は、二〇〇四年に国史跡に指定された。

第三節

稲穂と争乱——第三の弥生文化

青銅器のない社会

加茂岩倉遺跡（島根県雲南市）での三十九個の銅鐸発見のニュースは耳に新しい。荒神谷遺跡（同斐川町）に続いて、「出雲」の青銅器文化の特異さをあらためて教えてくれた。

破鏡の各種（下那珂遺跡・虺龍文鏡(上)・神殿遺跡・内行花文鏡(中央)・松本原遺跡・鏡式不明(左下)・銀代ヶ迫遺跡・鏡式不明(右下)）

実は、「日向」も青銅器文化については、特異な様相を持っている。つまり、青銅器が「ない」のである。

正確には、全くないわけではない。宮崎県では、高千穂町や日向市東郷町出土の銅鏃、鹿児島県では、特殊な存在として有明町出土の銅矛が知られているものの、そのほかは数遺跡から鏡が出土しているにすぎない。つまり、「ない」に等しいのである。

そうした中で、近年県下の集落遺跡から、鏡の破片の出土が確認されるようになった。銀代ケ迫(ぎんだいがさこ)遺跡（新富町）、神殿(こうどの)遺跡（高千穂町）、松本原(まつもとばる)遺跡（西都市）から、大きなもので数センチ、小さなものは一センチにも満たない鏡の破片が出土した。だが、単に割れた鏡の破片ではない。それらは「破鏡」と呼ばれる、初めから破砕された鏡の水増し製品なのである。北九州地方からは、多量の完形の鏡が出土している。この地域を離れるにしたがい、破鏡の出土は広がりを見せる。近畿地方は銅鐸、北九州地方は銅剣・銅矛と鏡を尊重した。卑弥呼は、「好物(よきもの)」の百枚の鏡を賜った。列島の人々は鏡に特殊な思いを込めていたらしい。しかし、南九州はそうした青銅器文化から離れ、わずかな破鏡に映しだすものは、青銅の神を仰ぐことのない独自の弥生文化である。

水稲と陸稲――内陸部での稲作

足長で身長は高くなったがひ弱。それが現在の子供たちの体であるらしい。食生活を中心とした生活環境の変化が、人間の体を変えてゆく。そのもっとも大きな変化が訪れたのが弥生時代である。教科書どおり弥生時代の始まりを稲の到来とすると、稲の存在は従来縄文晩期と呼ばれた時期にまで遡ることが明らかとなり、縄文と弥生の線引きをどこにするか、今も学会は揺れている。

縄文顔（左）と弥生顔（右）（西都原考古博物館での展示）

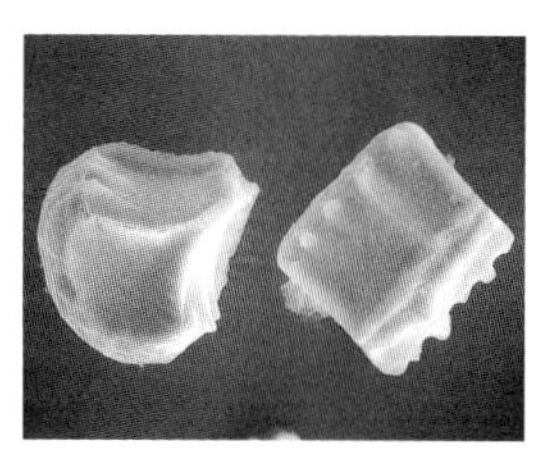
プラントオパール
イネの機動細胞珪酸体
（電子顕微鏡写真）

県内では黒土（くろつち）遺跡（都城市）で土器に紛れ込んだ籾痕自体が発見されたし、桑田遺跡（えびの市）では土の分析から稲の化石細胞（プラントオパール）が発見された。南九州の内陸部深くまで稲が伝播していたことは間違いない。

しかし、問題はそれが陸稲であったのか水稲であったのかである。陸稲は、縄文から伝統をもつ畑作の延長線上で受け入れられた。それに対して、水稲は大きな社会変革をもたらすものであった。つまり、水田の開拓、水利権の管理など組織的な土木工事を遂行し、維持してゆくために社会組織を編成する必要があった。稲が大きな意味合いを持ったのは、米の食物としての有用性ももちろんであるが、そのことよりもさらに水田耕作のためのこの社会変革で、弥生社会が急速に政治性を帯びるのはこのためである。

そして、多くの渡来の人々を受け入れながら、人間の体の変化の中で最も顕著だったのが、上歯と下歯が毛抜きのようにしっかりと噛み合う顎の張った縄文顔から、鋏のように上歯が前に出る細面の弥生顔へという変化であった。

環濠集落――矛盾と危機管理

「危機管理」――様々な局面でのこの事に対する日本人の甘さが浮き彫りになっている。列島史上初めて危機管理が問われたのが弥生時代であった。

生活を支えるための道具が、殺戮の凶器として初めて人間に向けられた。戦士の墓と見られる例が出現する。青銅の剣を骨に残したまま葬られた者、石鏃を多数浴びたまま葬られた者など。吉野ケ里遺跡（佐賀県神埼郡）が表現するのは、弥生の牧歌ではなく戦時下の日常である。

環濠（かんごう）集落とは集落の周りに濠と土塁を巡らせ、さらに逆茂木と呼ばれる先を尖（とが）らせた杭列で防御を固めた要塞である。

県内では早い時期のものとしては前期末から中期にかけての持田中尾遺跡（高鍋町）で、細く突き出した台地を横断するように溝で区画した集落であるが、環濠集落の名にふさわしいのは後期に始まる松本原（まつもとばる）遺跡（西都市）や塚原（つかばる）遺跡（国富町）などである。

しかし、これらは最も周辺地域からの荒波をうけやすい海に面した広い意味での宮崎平野の周縁の遺跡で、内陸部の都城市やえびの市などでは、現在までのところ環濠集落にふさわしい遺跡は発見されていない。北九州や畿内といった地域に見られる環濠集落の教える緊迫感は、薄いように思える。

弥生時代は、社会の様々な格差を増幅していった時代であり、人間同士の階級差や地域間格差を大きくしていった。善かれ悪しかれ、その後の列島社会つまり日本社会の矛盾を最も象徴的に生み出していったのだ。

平野部の畿内・瀬戸内との密接な関係

密航あるいはボートピープル。そこには、アジア自体とアジアの中の日本を考えさせられるものがある。国家の枠が成立する以前の段階でアジア規模の人々の動きがまざまざと現れるのが弥生時代であった。

三須遺跡出土の矢羽根形の透かしを持つ凹線土器

そして、列島の中においても人々の動きがあった。畿内、瀬戸内地域と日向の関係は密接なものがあった。それは北九州との関係より親密であった可能性がある。交流を示すそうした足跡は、縄文時代にも遡って追求することはできる。しかし、弥生時代に現れる現象は、その時代が政治的な時代であるだけにより強い影響力として日向の地域社会を襲ったに違いない。

最も象徴的に現れる特異な土器がある。凹線文と矢羽根（やばね）形の透かしを持つ高坏（たかつき）などである。この土器は瀬戸内地域の中でも、細かな紋様の構成や凹線での口縁部や脚部の処理の方法など特徴的な分布を示している。弥生文化が定着し成熟するなかで、地域の個性が政治的な色彩を持ちながら顕在化してくる現象としてとらえることができる。

県内で出土するのは、海岸線寄りの平野部を中心として、三須（みす）遺跡（延岡市）、新田原遺跡（新富町）、上ノ原（かみのはる）遺跡（国富町）など、南に下っては大隅半島にまでの限定された分布圏を示す。

そして、この土器の登場を境に、県内の弥生文化の様相全体が変化してくる。端的には住居の形に現れ、南九州に特有に見られる花弁状間仕切り住居の出現は、この時であった。

山の土器文化

「山のあなたの空遠く」

上田敏の名訳になるK・ブッセのこの詩は、高千穂を詠んだものだと私は長い間信じていた。

夏休み、父親が単身赴任するその山間の町に遊びに行くのは、少年の日の楽しみであった。山を背景にその詩が印刷されたグラビアは、トイレの壁に貼られていた。

峡谷を見下ろし、バスに揺られて辿り着く道程の強烈な印象と、山々の自然に包まれる一種の

古城遺跡出土の「工」字突帯文土器。底が欠けているが尖底となり、地面に突き立てて煮炊きした

閉塞感さえ、むしろ心地良いものとして記憶した。それが山の生活についての私的原風景である。

それから十年以上の歳月を経て、当時の国鉄高千穂・高森線建設に先立つ発掘調査に携わることになった。薄糸平（うすいとびら）遺跡、しかしそこで見た甕形土器は、平野部の遺跡では見たことのないものであった。その頃、大分県大野川上中流域の遺跡からも同種の土器が多量に出土しはじめていた。今では五ケ瀬川流域の日之影町にまで分布は広がり、祖母・傾山系に特有な土器文化が浮き彫りとなった。

分厚い器壁、「工」字の紋様、尖った底。大正時代、岩戸神社所蔵の同種の土器を調べた考古学の泰斗浜田耕作は「頗（すこぶ）る古拙（こせつ）の手法をみせるもの」と述べ、山の土器文化への鋭い直感を示した。しかし、その後の考古学は、水田農耕に依拠した平野部を中心とする均質な弥生像を描き続け、山には山の文化があるという、この当たり前のことを長い間省みることがなかったのである。

そして、あの鉄道の建設も中止された。しかし、『幸』住むと人のいふ」

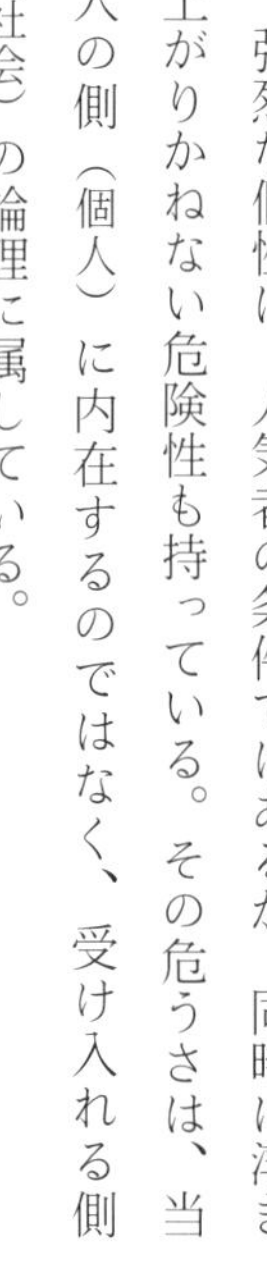

八幡上遺跡の花弁状間仕切りの住居。方形や円形を基調としてバラエティに富む

個性的な住いの誕生

強烈な個性は、人気者の条件ではあるが、同時に浮き上がりかねない危険性も持っている。その危うさは、当人の側（個人）に内在するのではなく、受け入れる側（社会）の論理に属している。

弥生後期に入り南九州は、どうやらそうした道を歩み始めたらしい。花弁状間仕切り住居は、極めて個性的な特徴を持っている。旧石器時代以来の永い歴史を持つ竪穴住居の基本は、円形・方形に地面を掘り窪め二本・四本の柱で屋根を支える。

しかし、花弁状間仕切り住居の最大の特徴は、その掘り窪められた平面の形にある。壁際から内側の柱に向かって所々に掘り残された土壁が見られる。その壁の凹凸の形が花弁に似ていること、そして掘り残された壁によって住居内部が部屋割りとして間仕切りされていることから花弁状間仕切り住居と呼んでいる。

その分布は、中野内遺跡（延岡市北浦町）を最北とし、日向市にも散見されるが、中心的な地域は一ツ瀬川流域の新田原遺跡（新富町）から前原北遺跡（宮崎市）など、内陸部ではえびの市、都城市、そして大隅半島の王子遺跡（鹿児島県鹿屋市）にかけてである。瀬戸内地域にも類似する住居が存在するが、時期的にはやや遅れるため、むしろ南九州の影響を受けたものと見られる。南九州に特異な個性を放つ住居が誕生した。その背景には、南九州の気候・風土があると考える。しかし、その個性はやがて「辺境」の位置へと追いやられるのである。

地域の個性を映す土器

幾つもの白い筋となって、日向灘に波が打ち寄せる。そのように時代の波は打ち寄せた。弥生時代は、およそ紀元前三〇〇年から紀元後三〇〇年の六百年の間、前期（二三〇〇～二二〇〇年前）、中期（二二〇〇～二〇〇〇年前）、後期（二〇〇〇～一七〇〇年前）の三期に区分される（88・111頁参照）。

日向灘に平行して四本の砂丘列がある。最初の弥生遺跡は、最も内陸の檍中学校周辺の砂丘上を集落に、砂丘列の間の低地を水田として営まれた。こうして幕を開けた弥生時代は、水田農耕社会を一つのモデルとして、各地域はいったん均質的な様相を示す。

しかし、後期になると逆に地域色が鮮明になってくる。「魏志倭人伝」の伝えるところでは、「倭国大乱」の後、多くは邪馬台国の女王卑弥呼に属するところとなったが、「旧(もと)は百余国」に分かれていた。統一的な面と、逆に各地域が独立的である弥生後期の様相をよく現している。

大萩遺跡出土の重弧文土器

瀬戸内地域の矢羽根透かし高坏とともに、九州内にも特異な壺形土器が現れる。最初に標準となった熊本県の遺跡の名前をとり免田式土器と呼ばれる。また、円弧を幾重にも重ねる特徴的な紋様から重弧文土器とも呼ばれる。紋様と共に目を引くのは、算盤玉形の胴部に長い頸がついたその形である。宮崎県内へは、県北の高千穂町へのルートと、県央部ではえびの市から大淀川流域を下り宮崎平野の一角までのルートで登場してくる。この強烈な個性を持った遺物は、女王国に属さない男王を擁立する狗奴国の象徴かもしれない。

完璧という名の穀壁

卑弥呼の金印を連想させる金印「漢委奴国王」を知らない人はいないだろう。『後漢書』が伝える、光武帝が奴国王に与えた金印。発見されたのは、江戸時代一七八四（天明四）年のこと、福岡県志賀島においてである。

それから三十四年後の一八一八（文政元）年、串間市である遺物が発見されたと伝えられている。ところが、金印にも匹敵するこの貴重な遺物の評価は決して恵まれたものではなく、むしろ不幸な扱いを受けてきている。
その遺物とは、古代中国の皇帝が与える王侯の象徴、璧（へき）である。玉やガラスで作られるレコードのドーナッ盤のような円盤、串間市出土と伝えられる璧は、直径三三・三センチ、軟玉製、表面に施された紋様は穀粒文（こくりゅうもん）、従って玉璧（ぎょくへき）または穀璧（こくへき）と呼ばれている。欠けるところのない文字通りの完璧である。

串間市出土と伝えられる璧（表面）
（前田育徳会所蔵）

現在、前田育徳会の所蔵になる経緯は、幕末の探検家松浦武四郎が宮崎県に立ち寄った際入手し、明治十年頃に譲られたものらしい（115頁参照）。璧の入った箱には発見の顚末（てんまつ）が記されている。左吉という人物により、鉄器三十点余りとともに石棺の中から掘り出されたという。

問題はその場所である。那珂郡今町村の王之山で出土したとされる。しかし、現在の串間市今町にはそのような地名は存在しないのである。串間に璧を賜るだけの王侯クラスの人間が本当に存在したのか。北部九州であればすぐに合点が行く。しかし、串間となるとその根拠は希薄にみえるのである。そこに、この謎の多い璧の不幸が始まる。

絵画によるコミュニケーション

文字が成立する以前、絵画はそれに代わって記録や伝達という役割を担うものであった。漢字の成り立ちが、物の形を写す象形文字であることを例に挙げるまでもない。初めに形ありきである。

弥生時代の中期ごろから近畿地方を中心とした地域で、器の表面に絵画や記号をヘラで描く土器が現れる。その始まりは銅鐸の絵画にあり、唐古遺跡（奈良県）などを中心としてまず具象的な絵画を描く土器が誕生し、その後、記号文が登場するものと想定されている。そして、後期にはいり宮崎平野を中心に、そうした絵画土器が登場する。

下那珂貝塚出土の飛ぶ鳥を描いた土器

鳥や昆虫とおぼしきものを描く具象的なものから、直線・曲線などの組み合わせからなる幾何学的な紋様など種類はさまざまである。古くから、下那珂貝塚（宮崎市佐土原町）出土の飛ぶ鳥を描いた壺がよく知られていたが、熊野原遺跡、中岡遺跡（宮崎市）、加納遺跡（清武町）、丸谷遺跡、祝吉遺跡（都城市）など出土例は増加し、宮崎平野部から大淀川をさかのぼる都城盆地、南は串間市までの限られた地域に分布することが明らかになってきた。

絵画土器の分布の中心は、近畿地方と宮崎県である。その地域の間で語られた内容は、知る由もない。しかし、両者が他地域に比して強いつながり、コミュニケーションを持っていたことは確かなことのようである。

列島での文字文化が、漢字文化圏のもとにあるとはいえ、もしかしたら絵画から記号へと進む中で、列島独自の文字が誕生したかもしれない。

個人の死から社会的な死へ

人の死の判定を巡っての論議がある。皮肉なことに医学の進歩がその判定を複雑なものにしているが、医学にとっての死ではなく、人間にとっての死を見据えておきたい。しかし、古来人間は、死者に花をたむける哀惜の念ばかりでなく、さまざまな社会的意味を人間の死に担わせてきた。

縄文時代の死を知る資料、すなわち墓地遺構は現在までのところ県内では確認されていない。他地域に見るように、おそらくは最も素朴な形、土壙墓での埋葬が行われていたと思われる。ところが、弥生時代の死から様相が変化してくる。

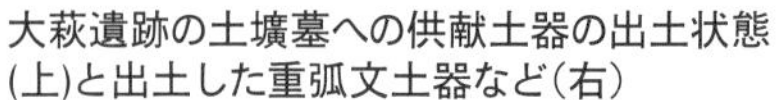

大萩遺跡の土壙墓への供献土器の出土状態(上)と出土した重弧文土器など(右)

川床遺跡の土壙墓・周溝墓群

内陸部の大萩遺跡（野尻町）では、土壙墓という縄文以来の伝統的で素朴な埋葬施設ではあるが、玉類の副葬品を所有する墓や特異な免田式土器を含む多量の土器を供えられる墓と、対照的に全くそれらを持たない墓の格差がみられる。

一方、平野部の川床遺跡（新富町）には、土壙墓の周りに方形や円形に溝を巡らす周溝墓（しゅうこうぼ）が登場してくる。溝は、現世と常世との隔絶の表示である。つまり、副葬品や供献品を所有する墓と所有しない墓という格差に加え、約二百余基確認された土壙墓と約三十基の周溝墓という形態上の格差が成立したことになる。

死者に生前の社会的役割が加えられ、個人の死ではなく、社会的な死を死ぬことが、こうした墓地遺跡の在り方の中に見え始めているのである。

そして、残念なことに人間は人間の死を、災い多い生のこちら側から常に見るしかないのだ。

世界史との連動

弥生時代の開始時期を五百年早い紀元前千年とすることによって、鮮明になることがある。世界史的な時代区分は、旧石器・(中石器)・新石器・青銅器・鉄器といった道具の素材をもとに整理されてきた。ただ、列島という海に向かって解放されつつも、閉鎖的な側面を抱え持つ地理的位置に生起した歴史は、世界史的な時代区分と必ずしも整合しない点を指摘されつつ、独自の時代区分が形成されてきた。すなわち、旧石器・縄文・弥生・古墳といった時代区分である。

旧石器は、その研究が緒に就いた段階では、土器が発明される以前という意味で「先土器」、縄文時代の前という意味で「プレ縄文」などと呼ばれることもあった。打製石器を用い狩猟採集の段階とする定義であるが、列島においては一部磨製石器が存在する点で異なる要素が含まれるものの、世界史的な位置付けともおおむね整合的であることから、今日では旧石器の呼称が定着した。

　しかし、その後の農耕や牧畜を指標とする新石器の区分では、世界史と列島史は大きく異なる点も指摘されてきた。つまり縄文時代は、農耕については栽培のレベルに、牧畜については家畜飼育のレベルに留まるものと理解されるのである。

　そして、その始まりから青銅器と鉄器が並存する弥生時代は、どのように世界史と整合性を求めることができるのであろうか。新たな年代観によって、青銅器の出現については、まったく整合的であるわけではないが、幾分かは呼応する時期に近づいた。しかし、一方では、福岡県の曲り田遺跡（福岡市）の早期の住居跡から出土した鉄斧と見られる板状鉄器について、中国大陸における鉄器出現より古くなるという矛盾が指摘され、課題が残されることになった。ただし、この鉄製品については、出土状態などについて再検証が必要であるとする指摘もある。

　しかし、最も注目されるのは紀元前十世紀とされる韓国南部における水田耕作の開始との関係では、従来の年代観では列島への伝播に五百年の時間差を持つことになっていたが、これが海を介して整合的になる点である。

　一方、東北の縄文後期から晩期にかけて、また弥生時代の始まりの遺跡とされた青森県の砂沢遺跡（弘前市）の土器も同様に測定され較正年代が求められた結果、その年代はそのまま据え置かれ遡らないことが明らかにされた。つまり、北部九州で弥生時代が開始された後も、東北では縄文時代が存続していたことになるのである。

　古くは、弥生前期の前に「早期」の設定が論議され始めた時期には、一足遅れて東北の弥生が始まると考えられていた。その後、東北でも青森県の垂柳遺跡（田舎館村）や砂沢遺跡で前期の遺跡が確認されたことで、大きな時間差を持たず列島全体に水田が波及すると考えられるようになった。そして、再び揺れ戻して、より緩やかな形の「文化は東へ」という東漸を想定しなければならないことになったのである。

五百年の時間差とは、戦国時代の幕開きから北部九州は一挙に現代へとタイムスリップし、一方東北はその後戦国時代を経て、江戸・明治・大正・昭和・平成を経るようなものである。

国立歴史民俗博物館のデータでは、おおむね早期は三〇〇〇年（紀元前一〇〇〇年）から二八〇〇年前（紀元前八〇〇年）、前期は二八〇〇年から二四〇〇年前（紀元前四〇〇年）、中期は二四〇〇年から一九五〇年前（紀元後五〇年）、後期は一九五〇年前から一七五〇年前（紀元後二五〇年）ということになる。

南九州と内陸部の稲の入口

山間部の弥生社会の在り方を問うことで、水田耕作＝弥生時代の図式に疑問を呈してきたが、その事は、五百年遡ることによってもますますはっきりした。稲作が一挙に列島の歴史を変革したものでないことは、明らかである。稲作の始まりは、福岡平野とみなされてきた。早くは板付遺跡で初期稲作集落の全体像が明らかにされ、やがて従来縄文時代と考えられてきた時代を遡り始めた。そうした、境界に属する時期区分として、従来において前期・中期・後期と区分された弥生時代の始まりに「早期」との呼称が提案された。

そして、九州においては北部九州と南九州との間では、稲の持つ意味が異なることを再度確認しておく必要がある。それを「3対7の弥生社会」として理解する。

佐賀県の吉野ヶ里遺跡（吉野ヶ里町）でとみに注目されることになった環濠集落は、南九州では顕著な存在ではない。それは、縄文時代における環状集落と呼応する位置付けだと考えてよい。全く無いわけではないが、希有な存在として存在する。そして、平野部周辺の台地上において確認されてきた環濠集落は、近年の調査成果では低地の沖積地にも形成されることが確認され始めた。宮崎小学校遺跡（宮崎市）などがその例であるが、未だ全容を現すには到っていない。

また、初期稲作遺跡の手掛かりとなる遺構・遺物がある。遺構としては、松菊里型住居と呼ばれる新たな住居の形が半島から渡来する。そして、遺物としては、無文土器・大陸系磨製石器等々である。そして、それらが出土する遺跡を九州地図上に落としていくと、福岡・佐賀を中心とした北部九州に対して、宮崎・鹿児島を中心とした南九州に「もう一つ」の集中が見られることが明らかになってきたのである。

3対7の弥生社会

平部嶠南の『日向地誌』は、一八七四（明治七）年に県からの委嘱を受け、当時の県内五郡三百七十六町村の沿革、管轄、地勢、地味、戸数、人数、牛馬、山、川、社寺、陵墓、古跡、学校、物産などほとんど必要な情報を網羅的に調べ上げ、一八八四（明治十七）年に完成した。一九二九（昭和四）年に初版本が刊行され、その後永く幻となっていたが、ようやく一九七七（昭和五十二〇一〇年に復刻版が刊行され、明治初年までの宮崎県の様相を把握するのに欠かせない大著として、広く利用に供されるようになった。

この中で、私が注目したのは、税地として集計されている各町村の田と畑の面積であった。詳細に挙げられている三百七十六町村ごとの数字を、郡域も変動しているため、平成の大合併以前の市町村ごとに集計してみた。

幾つかの地域を摘出してみると、宮崎平野の中心となる宮崎市で、田六三パーセントに対して畑三七パーセント、一方内陸部の都城市で、田三九パーセントに対して畑六一パーセントと、おおよその数字は逆転している。平野部と内陸部の最も特徴的な傾向を示していると見てよい。

その他の内陸部では、小林市が田三四パーセントに対して畑六六パーセント、三股町が田二八パーセントに対して畑七二パーセントなどである。これらは、明治初年の状況なので、弥生時代を論じる意味での象徴的な数字として「3対7」を想定してみた。さらに山間部といえる高千穂町は、田九パーセントに対して畑九一パーセントであり、まさに「1対9」の在り方も現実のものだったのである。

一方では、内陸部のえびの市が田六六パーセントに対して畑三四パーセントと、宮崎市と余り変わらない面積であるのは、江戸時代のえびの市において田地開発が進んでいたことを教えてくれる。この地域に初期稲作遺跡が存在し得たことや、地下式横穴墓の一大拠点となり得る秘密は、こうした田と畑の面積比率がどこまで時代をさかのぼるかは別としても、田地開発に対応できる可耕地を有していたことにあると考える。

市町村	『日向地誌』に見る耕地面積（町）		1995年の経営耕地面積（a）	
	田	畑	田	畑
宮崎市	4,427	2,571	282,386	71,896
都城市	2,871	4,551	300,348	291,108
延岡市	1,840	969	101,015	25,093
日南市	2,032	1,208	91,177	12,781
小林市	1,112	2,173	141,749	213,061
日向市	964	880	47,925	17,137
串間市	1,945	1,297	143,930	112,811
西都市	2,332	2,116	258,470	122,268
えびの市	1,882	974	220,218	115,998
清武町	646	468	47,098	44,211
田野町	382	650	46,199	78,932
佐土原町	870	873	99,935	35,117
北郷町	484	192	30,137	2,405
南郷町	552	337	35,337	7,447
三股町	484	1,257	68,129	42,846
山之口町	432	455	33,063	27,092
高城町	757	808	79,405	68,607
山田町	430	507	50,835	64,627
高崎町	755	482	104,143	100,052
高原町	612	782	84,186	102,723
野尻町	303	694	53,104	97,603
須木村	148	58	16,733	7,877
高岡町	866	601	56,092	22,918
国富町	1,428	1,488	162,078	61,878
綾町	492	295	33,802	16,932
高鍋町	565	839	52,614	60,308
新富町	818	800	99,834	94,300
西米良村	51	35	4,402	822
木城町	340	448	40,339	37,106
川南町	448	2,191	117,545	111,673
都農町	487	467	51,127	48,547
門川町	514	292	26,880	5,005
東郷町	541	345	37,293	10,700
南郷村	371	231	23,877	4,387
西郷村	209	160	21,606	4,693
北郷村	272	155	19,582	3,477
北方町	225	248	28,176	9,717
北川町	199	280	20,254	4,743
北浦町	158	231	15,628	3,104
諸塚村	40	207	7,521	2,693
椎葉村	48	236	14,488	6,255
高千穂町	195	1,941	91,430	46,742
日之影町	95	510	33,360	7,855
五ヶ瀬町	177	639	30,588	14,279
総計	34,799	36,941	3,324,038	2,239,826

逆に、比較的海よりの地域ながら台地を中心とする川南町では、田一七パーセントに対して畑八三パーセントとなっている点が目を引く。この台地に多く展開する弥生時代終末期を中心とする周溝墓の存立基盤については、推して知るべしである。

ちなみに、明治において宮崎県に属し現在は鹿児島県と松山郷、志布志郷、大崎郷の合計は、田二〇パーセントに対して畑八〇パーセントである。ここからさかのぼる数字が、大隅半島における前方後円墳と地下式横穴墓の存立基盤である。

いずれにしても、日向国は総計で比較しても明治初年において畑の方が優位であった耕作地であったが、一九九五年統計の総計では田六〇パーセントに対して畑四〇パーセントと圧倒的に田が優位な位置を占めるに到ったことを知るのである。あの高千穂ですら、田六六パーセントに対して畑三四パーセントであり、山間部における田地開発が、血の滲む思いの中で進められたことを心に留めておく必要がある。

松浦武四郎の玉璧

松浦武四郎は、北海道のみならず、全国を旅して歩いた。行く先々で恵まれ、旅を続けることができたのは、彼が三重の出身であることが幸いしていた、と「松浦武四郎記念館」の山本命さんは言う。

三重、そこから当時の人々が身近に連想したのは伊勢神宮であった。「お伊勢詣り」は、武四郎の生きた時代においてもなお、人々の厚い信仰に支えられ盛んであった。なるほど、全国各地

松浦家の実家(右)と松浦武四郎関係の資料(左)

の人々にとって、武四郎をもてなすのは「お伊勢詣り」でお世話になった恩返しだったのである。

そうした旅の一齣に日向路があった。繙くと二十歳と六十六歳の二度、宮崎県を訪れている。そして、玉璧との接点である。「入手の機会は二度」と、先学達は考えた。それを前提に考えると、六十六歳の線は消え、二十歳の可能性だけが残される。何故なら、玉璧の収められた箱の裏書きには、「明治十年」とある。武四郎六十六歳は明治十六年である。十年以前に武四郎の所蔵となっていたのだから、この線は消去される。では、二十歳の時だったのか。

こうして、これまで先学達は、迷わず武四郎が宮崎に立ち寄った際、玉璧を入手したと考えてきた。私もまず、それを前提として受け入れてきた。そして、松浦武四郎記念館で資料調査を行った。六十六歳の可能性はないとしても、念のために、あるいは何らかのヒントが隠れているかも知れないと思い、二度の宮崎を訪れた際の記録やその時期のその他の記録も含めて当たった。二度とも、訪れた先の地名が詳細に記されており、その足跡を具体的に追うことが出来、西都原古墳群なども訪れているなど、それ自体でも興味ある多くの記述に出会うことが出来る。

玉璧入手の周辺

悠々自適の生活に入った六十歳代、折に触れて所蔵品を元に個人展覧会というべきものを催している。あれだけの品物である。どこかに姿を現しているのではないか、二度目の資料調査の時、そうした展覧会の木版刷りの図録を見ていた。だが、勾玉(まがたま)や鏡などの品々は見受けられるが、玉璧は見当たらない。少なくとも現在閲覧できる資料の中には登場しないのである。あれだけの宝物が。

それにしても、いろいろな考古資料を武四郎は所蔵している。「色々武四郎の元に品物を持ち込む人もいたみたいですね」と山本さん、「そういえば、六十歳の頃の手紙があります」と示してくれた一行に目を通した時、「入手の機会は二度」なんかじゃないではないか、「持ち込まれる」機会は幾つもあったのだ、と思い当たった。

「只今古物ニ歳月を送申候事ニ御座候」(明治七年五月)

この時期、武四郎は東京に居を構え、古物の収集に明け暮れていたのである。そこで、いったんは消去した旅行記『癸未溟志』の中の六十六歳の記述が思い起こされる。その時、武四郎は西都市を訪れ、「妻万宮」すなわち都萬神社の「宮司河野磐」と会い、宮崎市内の宿泊先に訪れた人々は、大島正武、福島邦成、大和田伝蔵など、次いで国富町も訪れ「剣塚稲荷大明神社」の「祠官宮永真琴」とも会っている。

大島は鵜戸神社の宮司、福島は初代の橋橋を架けた医師、大和田は「日向水力電気株式会社」を設立した実業家である。また、宮永真琴は、本庄古墳群について「本庄村古陵墓見聞図説」を著している。

晩年、武四郎は「一畳敷」と呼ばれる庵を営み、全国各地から「木片勧進」として部材の寄進を受けている。部材とはいえ、扉や欄間など既存の寺社仏閣の一部を各地から集めたのである。宮崎からは、先の大島、大和田が「日向鵜殿神社宝殿古扉板」を寄進している。

宮崎だけではない。好事家(こうずか)と一括りにするのは問題があるが、松浦の行くところ、古物に興味を持つ実業家や郷土の名士などが集まってくる。また、武四郎もそうした人を訪ねて歩いた。そして、東京の松浦の元にも、そうした人々が上京しては訪れていたのである。

こうした人々との交流は、この時に始まったものではないだろう。直接間接、武四郎に関する情報は、いわば「同好の士」の中では全国津々浦々行き渡っていたはずである。ここに登場する、あるいは名前は挙がっていないが宮崎県在住の人物が、いや宮崎だけに限定するのも先入観であるが、松浦の元に玉璧を「持ち込んだ」可能性も大いにあり得るのである。

第四節

墳墓と祭政――背反する握手

前方後円墳の誕生

八月六日、九日そして十五日がやってくる。日本人ばかりではなくアジアをはじめ世界の人々にとっても、時代の大きな節目として記憶されている。激動の時代の基底にも、着実な人々の日常があった。たゆまぬ日常の積み重ねの先に、時代の終わりと始まりはある。

古墳とは、円墳、方墳など高い盛り土を持つ墓（高塚墳）である。中でも、前方後円墳という象徴的な形を持つ墳墓が登場したとき、人々は新しい時代の始まりを実感した。全国的には、三世紀の後半から四世紀のはじめのころ。前方後円墳はその独特の形から、地域の首長（ボス）の墓であり、円墳、方墳の上位に位置するものとみられる。

古墳は、決して唐突に出現したものではない。弥生時代の周溝墓を母胎としながら、各地域のさまざまな墓制を統合して成立した。しかし、前方後円墳の誕生は、大きな飛躍であり、「時代」の終わりと始まりを画するものであった。

現在確認されている県内最古の古墳は、四世紀の前半の下屋敷古墳（新富町）である（137頁参照）。それから四世紀の後半までには、日向灘沿岸の平野部を中心に南方（延岡市）、持田（高鍋町）、生目（宮崎市）などの古墳群の築造が開始されていく。

とはいえ、まだ平野部周辺の地域では弥生の日常があった。そこでは、何も変わらないようにも思える。しかし、振り返ってそれが変化の予兆だったのだと気付く歴史の節目もあるのだ。今も何かが変わろうとしている。そうした当たり前の日常を私たちは生きている。

西都原古墳群の語ること

今年（一九九七年）の夏の注目のスポットは、何と言っても西都原古墳群である。古代生活体験館（現在、宮崎県立西都原考古博物館の付属施設）が開館し、男狭穂塚・女狭穂塚の測量が始まり、十三号前方後円墳の発掘調査が真っ盛りである。

ところで、西都原は三百十一基の多くの古墳からなる。大切なのは、数の多さではない。それがどのような歴史ドラマを秘めるものなのかである。そこで次のような謎解きをしてみた。

広い古墳の分布をよく見ると、まとまりある幾つかのグループに分かれることが見えてくる。前方後円墳数基を中心とした古墳集団が見られ、それらは支群の単位として認定することができる。それに対して、標高五〇メートル級の台地、現在公園化されている地域には約二百基が密集

西都原古墳群（『西都原古墳群探訪ガイド』より）

している。

問題はこの古墳群の読み方である。台地の縁に十六基の前方後円墳が並ぶ。いずれも前方部が低く、細長い柄鏡の形をした四世紀から五世紀前半までのスタイルの前方後円墳である。

となると、約五十年から百年の間に十六人もの首長の代替わりがあったことになる。一代の統治の年代を二十年として三百二十年、十年としても百六十年ほど、とても五十年から百年の幅に収まらない。しかし、単一の系譜ではなく、複数の系譜であるとみれば謎が解けてくる。

つまり、たとえば四つの有力勢力があったとする。一勢力の前方後円墳は四基程度、一代十年ないし二十年として四十年ないし八十年の幅に収まってくる。

西都原と新田原——首長墓域の変遷

西都原古墳群は、複数勢力の共同基地として築造を開始した。そして五世紀前半、西都地域にとどまらない古代日

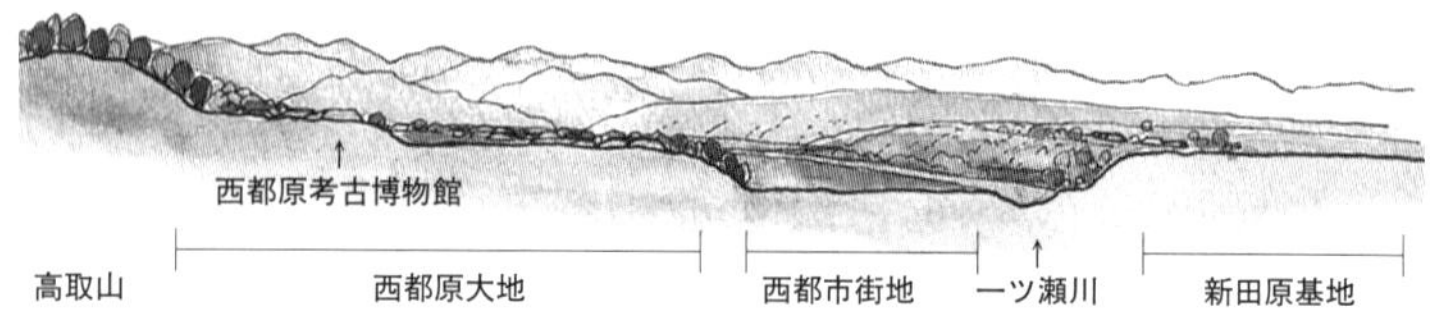

［図１－８］西都原と新田原（『西都原古墳群探訪ガイド』より）

向一円の統合が行われた。その主役が、九州一の規模を誇る男狭穂塚、女狭穂塚の被葬者であった。

しかし、ここにも謎はある。両古墳のどちらが先に造られたのか。整った女狭穂塚の形に対して、男狭穂塚の形はなぜはっきりしないのか。女狭穂塚は墳長一七六メートル、伝履中陵、伝仲津媛陵などと同じ設計図で造られたのではないかといわれるほど整った古墳。それに対して男狭穂塚は、後円部だけ見ると女狭穂塚より大きいが、その前方部は心もとない形状をしている。だから、かつては女狭穂塚によって前方部が壊された結果で、それが男狭穂塚の方が古いとの理由にもされてきた。

しかし、果たしてそうなのだろうか。柄鏡の前方後円墳ではなく、前方部の小さい帆立貝のような形の古墳で、男狭穂塚が逆に新しい可能性をかつて指摘したことがある。

西都原ではこの両巨大古墳の後、前方後円墳が造られなくなる。その代わり、一ツ瀬川対岸の新田原古墳群（新富町）で盛んに前方後円墳が築造され始める。その間、西都原の台地には、南九州独特の地下式横穴墓と円墳群が造られ、前方後円墳が再登場するのは六世紀後半、そして六世紀末から七世紀前半の鬼の窟古墳で首長墓は終焉（しゅうえん）する。

ここまでのことは言える。だが、本格的な謎解きはこれから。大地に残された遺跡から読み解く謎は、緑陰で広げる書物の知的興奮と似ている。

海を支配する首長

謎解きと言えば、串間の壁の謎を解こうとした人物がいる。宮崎県の考古学の先達瀬ノ口伝九郎である。

ガラスの壁は、三雲遺跡（福岡県）など弥生の甕棺（かめ）墓から出土している。しかし、串間の壁は、伝えられた情報からすると、弥生時代のものとも古墳時代のものとも判然としない。瀬ノ口は、そこで銭亀塚と呼ばれる古墳と「王之山」と似た地名である「王子谷遺跡」を発掘した。一九五三（昭和二十八）年のことである。

銭亀塚出土の雁木玉

武寧王陵出土の練管玉

結果は、壁についての確証を得る

ことはできなかった。だが、銭亀塚の発掘は、意外な成果をもたらした。雁木玉（練管玉）と呼ばれる玉の出土である。どの古墳からでも出土するものではない。武寧王陵（韓国公州市）の副葬品に見られ、北部九州に集中し、列島内では数えるほどしか出土していない貴重な品である。

串間市を含む県南部の遺跡の状況は、まだ未開拓の分野である。それ故、璧がもたらされた積極的な根拠を見いだしがたいのだが、断片的に遺跡・遺物の在り方を追えば、たとえば弥生時代の絵画土器、海に面した多数の石棺群など、県央部の様相に比べて海を強く意識した地域性を垣間見ることができる。最近では、県内最大規模の横穴式石室をもつ狐塚古墳（日南市）が発掘された。これも、海に面した砂丘上の古墳であった。

まれにみる雁木玉がもたらされたように、璧ももたらされた可能性は十分にある。それを可能にしたのは、海を介在とし、海を支配した人物ではないだろうか。

炉から竈へ――住いの形の変化

時代が求めたのは、もとより古墳という死の空間の変革だけではなく、衣食住にわたる生の空間の革命的な変革であった。

もはや、あの南九州独自の花弁状間仕切り住居は存在しない。四角い平面形の整然とした竪穴住居があるだけである。先行する弥生時代や後続する奈良時代などの住居に比べても、一辺七〜

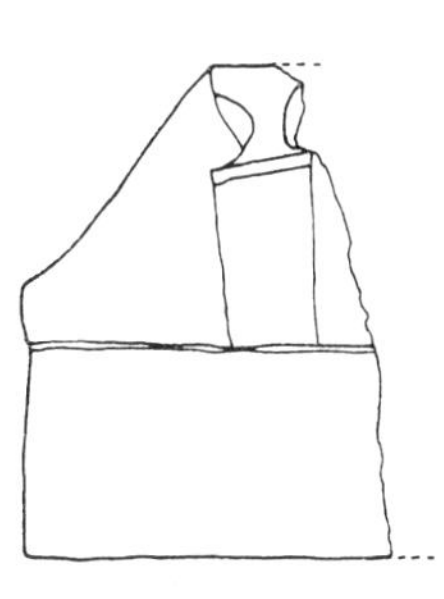
地下式横穴墓の墓室に描かれた「斗」(ます)

八メートルと一回り規模が大きい点に古墳時代の住居の特色がある。熊野原遺跡(宮崎市)は、こうした弥生時代から古墳時代の住居へ、飛躍し隔絶した変遷を示す典型的な遺跡の一つである。

四世紀から五世紀にかけての住居には、床面の中央に炉跡が設けられている。そして、六世紀に入ると炉には甕形の土器が据えられるようになる。煮沸する土器の受け台として燃焼の効果を求めたものであろう。さらに、六世紀後半から七世紀にかけて、遺構の上ではっきりとした変革が現れる。竈(かまど)の出現である。

浄土江遺跡(宮崎市)で、掘り抜きの煙突を持つ竈が初めて確認され、松本原遺跡(西都市)で六世紀には竈が登場することを明らかにした。竈は調理方法を機能的なものとしたが、同時に神聖な場所として竈神に対する信仰も生まれている。

考古学では、地中に残された痕跡から住居の構造を推定するしかない。しかし、家の形を模した地下式横穴墓の墓室に、建築構造を表現したものがある。その一つ、寺院建築などに見られる斗(ます)と呼ばれる組み物である。南九州の地に高度な建築物が存在したのである。

六野原3号地下式横穴墓出土の土師器。小型の丸底の壺や脚を持つ高坏など、古墳時代に入り斉一的な形が広まる

統一と対立──中央と地方と辺境と

古墳時代は三世紀後半から七世紀まで、おおむね前期(四世紀)、中期(五世紀)、後期(六世紀)の三期に区分される。

弥生時代の始まりにも列島を覆う斉一化が見られたが、その後はリバウンドするようにむしろ地域性が顕著になった。しかし、古墳時代の斉一化はそれとは趣を異にするものであった。そのため、そこでの地域性は単なる文化の在り方ではなく、政治として現れてくることになった。中央と地方、そして辺境という図式が芽生えてくるのも古墳時代のことである。

そして、器の形にも特徴的な変化が現れる。小型の器で、丸底の壺(つぼ)、食物を盛る高坏、丸底の器の台となる器台、の三種である。平野部と内陸部の間でやや時期差を認めるものの、県内各地のこの時期の遺跡は、必ずこの種の土器を伴う。古墳時代の新しい祭祀に関連するものであろう。従って、単なる食生活の変化を意味するのではなく、精神生活の変化をも意味するものであった。

また、板状の道具で叩きしめる技法が誕生し、器の壁を薄く仕上げた甕も特徴的なものとして誕生する。それらは、古墳が各地域の墓制を統合して誕生したように、各地域の器の形や技法を統一するように登場する点で、古墳時代が生活の細部にわたって極めて強力な力を発揮したことを知ることができる。

しかし、いやそれ故にと言うべきか、南九州の地での地下式横穴墓の誕生は、統一に対する逆行、あるいは対立的な意味を持って現れてくるのである。

文化を生み出す農業

「大足(おおあし)」が出た。といっても恐竜の足跡ではない。農具の一種である。田下駄は、湿田に足がめり込まないよう。大足は、逆に緑肥など土中に踏み込むもの。梯子(はしご)のように枠木に十本の横木、さらに中央には足を乗せる板が組み込まれる。

一九九六年十月、宮崎市新名爪のバイパス建設に先立つ前田遺跡の発掘調査で、古墳時代六世紀後半の土器を多量に含む、水田に伴う溝の底から出土した。完全な形での出土は、全国でも珍

前田遺跡出土の「大足」

垣下遺跡出土の鋤・鍬類

しい。長さ八〇センチ、幅五〇センチ、下駄のように一対で使用するものだったらしいが、出土したのは片方だけ。両方の足に履いた姿を想像すると、ユーモラスでもある。

垣下遺跡（宮崎市）、松本遺跡（西都市）など、弥生時代から古墳時代の鋤や鍬といった木製農具の出土例が、近年の発掘調査で増えてきた。それにしても驚くのはそれから二千年の間、農具の形は変わることがなかったことである。たとえばスコップは、まず刃先だけが鉄に、そして今では柄の部分にも金属が使用されるようになったが、形は変わることがない。ふと、日常的にそうした農具を目にしなくなったことに気付く。農具が急速に消えていったのは、ここ数十年の機械化によるものである。人間の体に応じた道具が、人間の体を離れて行った。

そして、機械化と人工的な耕作地を作り上げてきた「農政」は、農業（アグリカルチャー）が本来持っていた文化（カルチャー）を生み出す力を奪ったようにも思える。

宮崎市下北方５号地下式横穴墓の玄室。内部奥行は５メートルをこし、最大規模

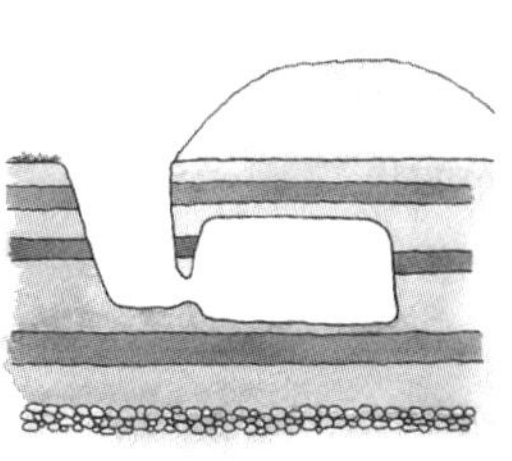

［図１－９］
地下式横穴墓のつくり方
（『西都原古墳群探訪ガイド』より）

南九州独自の墓制・地下式横穴墓

地方分権が論議されている。もとより、列島の歴史は、一つの定点を中心とした円ではなく、二つの定点を持つ楕円、いやもっと多くの定点を中心とする、多様な地域の歴史から成立していた。しかし、古墳時代が一点を中心とした古代国家を準備したため、それまでの多彩な地域性が忘れ去られたにすぎない。だから、いま一度地方が活力ある定点となる歴史的な根拠はあるのだ。

前方後円墳を盟主とする時代の大波を受けながらも、五世紀半ばに、南九州の独自性を主張するように、ある墓制が誕生する。地下式横穴墓である。井戸のように二メートルほどの縦穴を掘り、穴の底から横に掘り抜いて部屋をつくる。一ツ瀬川流域を北限として内陸部へはえびの市、鹿児島県大口市、南へは大隅半島の限られた地域に分布する。

こうした分布で思い出されるのは弥生時代の花弁状間仕切

り住居で、その範囲は重なってくる。

南九州にはこのほか、熊本県南部から鹿児島県北部を中心として、宮崎県の内陸部で地下式横穴墓と分布が重なる地下式板石積石室墓（いたいしづみせきしつぼ）と呼ばれる、円形や方形に扁平（へん）な板石で囲い、天井部も板石で覆う墓制や、薩摩半島の南端に見られる立石土壙墓（りっせきどこう）などがあり、列島の地域社会の中でもその個性は際だっている。

古墳時代の行き着く先は、強力かつ確固たる中心を確立することであった。それ故に、南九州独自のこうした墓制を営んだ人々は、やがて辺境の人々熊襲（くまそ）・隼人と呼称されることになるのである。

埴輪のない南九州

宮崎には埴輪（はにわ）が「ない」。と言えば「西都原古墳群から重要文化財の子持家形や舟形埴輪が出土し、人物埴輪が県のシンボルのようになっているではないか」と多くの戸惑いの声や反論が聞こえてきそうである。だから、少し解説が必要である。

埴輪の原型は、弥生終末の墳墓から現れる。そして、底のない壺（つぼ）が墓に並べられるようになり、やがて土管のような円筒埴輪が誕生する。その次に家や舟、甲（よろい）や冑（かぶと）などを模した器材埴輪と呼ばれるものが登場する。人物や動物を模した埴輪が登場するのは、その後の五世紀に入ってから六

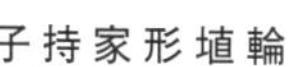

子持家形埴輪

円筒埴輪

世紀にかけてのことである。

従って、埴輪が流行する以前に築造を開始した西都原は、基本的には埴輪を持たない古墳群である。わずか男狭穂塚、女狭穂塚、一六九号から一七一号墳の五基にしか埴輪が見られないのはそのためで、その後は埴輪を持つ規模の古墳が造られなくなった。代わって人物埴輪が流行する時期に築造が盛んとなったのが、対岸の新田原や大淀川流域の下北方古墳群などである。だから、これらの古墳群からは人物埴輪の手の部分や衣の裾（すそ）と思われる破片が出土しているが、全体像を復元できる出土品はようやく、新田原古墳群内の百足塚古墳の発掘調査によって明らかになる。それは二〇〇二年のことである（40頁参照）。

ちなみに、なじみの深い武人像や踊る人物埴輪は関東地方のもの。関東地方において前方後円墳の築造が盛んになるのと人物埴輪の流行が一致しているからである。物には流行廃り（はやりすた）がある。だから物にだけ惑わされ、振り回される

持田古墳出土と伝えられる景初四年龍虎鏡

西都原13号墳出土の三角縁神獣鏡

のは過ちのもと、これ教訓である。

「鏡」がやってきた

鏡に向かって己の美貌への賛美を求めたのは童話の中。だが、歴史の中で首長たちが鏡に向かって求めたのも、さほどの違いはなかったように思える。己の権力に対する賛美、願わくば権力を自由に操れる魔法使いにもなりたかったに違いない。

弥生の鏡の中心北部九州ではなく、畿内に顔を向けていたため、青銅器から疎遠であった南九州に、畿内をネットワークの中心として、平野部の古墳群に多量の鏡がもたらされるようになった。西都原古墳群からは大正時代の発掘調査で、持田古墳群（高鍋町）からは、不幸にしてではあるが昭和初期の大盗掘によって、多量の鏡の出土が知られている。しかし、両古墳群の出土した鏡の種類の傾向には微妙な違いが認められる。

不思議な鏡、「景初四年」銘の鏡がある。十年ほど前、京都府広峯一五号墳(福知山市)から出土し話題となった。それと同じ鋳型から作ったとみられる鏡が、持田出土として辰馬(たつうま)考古資料館(兵庫県)に収蔵されているのだ。景初四年、つまり卑弥呼が魏に使者を遣わした翌年、だが、その景初三年の翌年には正治元年と年号が改められ、実は景初四年は存在しない。謎の鏡である。

三角縁神獣鏡やこうした年号のある鏡を、卑弥呼が賜った鏡に直接結びつける考えがある。しかし、そもそも生産地を大陸とみるか、列島とみるか、舶来・国産と考古学界の意見は大きく二分し、その決着はつきそうもない。皮肉に言えば、鏡が今も不思議な魔力を放っているせいであろう。

武装した女性たち

女が武器を持って立ち上がる。手ごわさは男以上なのかもしれない。

古墳の発掘調査で、被葬者の性別が特定できる例は必ずしも多くはない。埋葬施設によっては、人骨が文字通り土に返ってしまうからだ。そこで、勾玉(まがたま)などの装飾品が多く副葬されているのは女性、武器・武具が副葬されていれば男性と、常識という先入観が出来てしまった。

幸い性別が判断できるほどの人骨が遺存し、前方後円墳への女性単独埋葬が確認できた例はある。それでも熊本県向野田古墳(宇土市)など全国で九例ほど、複数埋葬の中に女性が含まれる

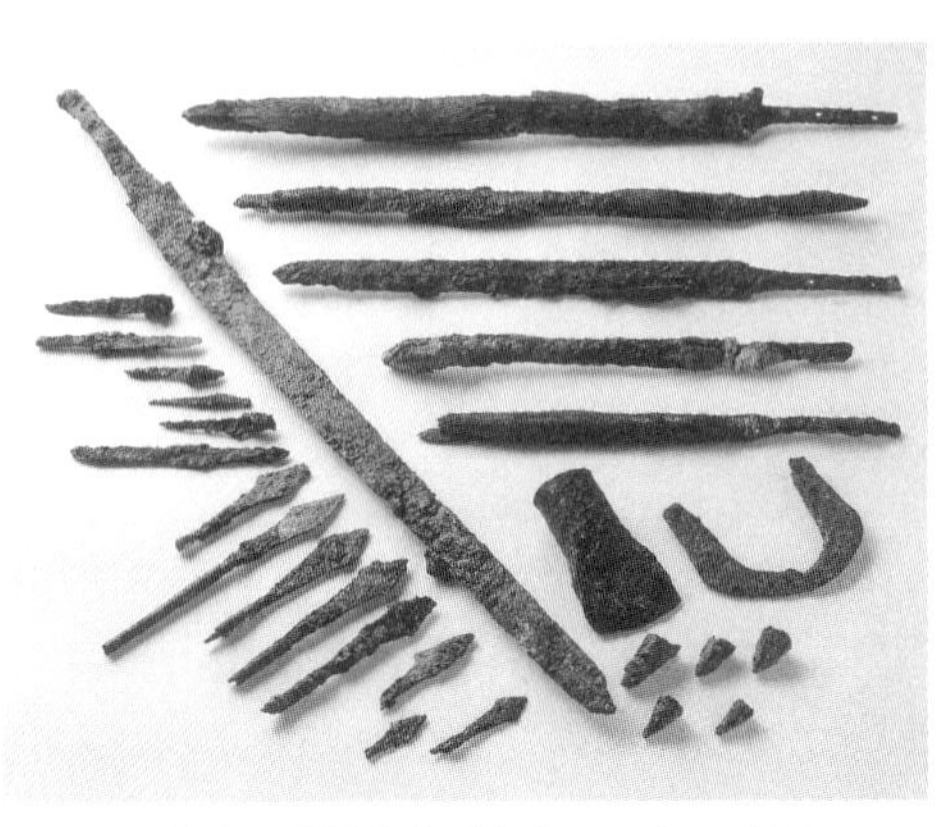

大萩地下式横穴墓群出土の刀剣や武器

例は十四例ほどに過ぎない。こうした首長クラスの女性が存在したであろうことは、卑弥呼や、推古、皇極などの女帝の存在によって頷（うなず）くことができる。

もう一歩踏み込んで武装した女性軍団が想定できるとしたらどうであろうか。地下式横穴墓は埋葬の部屋が空洞になっているため、人骨の残りが極めて良好で、これまで三百体余りが確認されている。その被葬者と副葬品の関係を詳細に検討していくと興味深いことに気付く。女性に多くの武器が伴うことである。中迫（なかざこ）地下式横穴墓（綾町）は、女性単独埋葬の例で、長さ一メートルほどの刀と鉄鏃などが副葬されていた。複数埋葬の場合でも、その副葬品の置かれた位置関係から女性に武器が伴う例は意外に多い。すべてが実戦の戦士ではないであろうが、八世紀の隼人の戦いに登場する「薩摩比売（ひめ）」のように先頭に立つ武装女性が存在したことは確かである（233頁参照）。

島内地下式横穴墓群にみる女性武器副葬一覧

号数	被葬順序	性　別	年　齢	副　　　葬　　　品
16	1	**女性**	熟～老年	鉄鏃３
	2	男性	熟年	鉄鏃５
20	1	不明	不明	なし
	2	女性	若年	刀子１
	3	男性	若年	刀子１
	4	男性	若年	鉄鏃２、骨鏃19
	5	**女性**	壮年	鉄剣１、鉄鏃11、刀子１
21	1	男性	壮～熟年	短甲１、冑１、蛇行剣１、鉄矛１、鉄鏃２、刀子２、鉄斧１、鉇１
	2	男性	壮年	蛇行剣１、刀子１
	3	**女性**	壮年	蛇行剣１、鉄鏃１６、刀子１
28	1	**女性**	熟年	鉄剣１、刀子２
	2	男性	壮年	なし
30	1	**女性**	壮年	鉄鏃１、刀子１
35	1	**女性**	熟年	鉄鏃４、貝釧８
	2	不明	壮年	なし
	3	不明	幼児	鉄剣１、鉄鏃３
	4	男性？	壮年	なし
39	1	不明	小児	なし
	2	男性	壮年	刀子１
	3	**女性**	壮年	鉄鏃６、骨鏃４～８
42	1	不明	小児	直刀１、鉄鏃７、刀子４、鑷子１
	2	**女性**	若年	直刀１、鉄鏃７、刀子４、鑷子１
	3	不明	不明	刀子１、鉄鏃７
50	１？	不明	不明	なし
	２？	不明	壮年	なし
	３？	不明	壮年	鉄鏃２
	４？	不明	小児	鉄剣１、鉄鏃１、刀子１
	５？	不明	熟年	蛇行剣１、鉇１
	６？	**女性**	熟年	鉄鏃４
52	1	女性	壮年	なし
	2	女性	若年	なし
	3	**女性**	壮年	骨鏃３
58	1	**女性**	若年	鉄鏃５、石枕
	2	男性	熟年	鉄矛
63	1	女性	壮年	なし
	2	男性	壮年	鉄鏃２
	3	**女性**	若年	鉄剣１、鉄鏃14、鉇１
	4	**女性**	壮年	鉄鏃１
	5	男性	壮年	直刀１
	6	**女性**	熟年	骨鏃27、刀子１
	7	不明	小児？	骨鏃６？、刀子１
97	1	不明	壮年	鉄鏃２
	2	男性	壮年	鉄鏃２
	3	**女性**	熟年	鉄鏃２

＊ゴシックは武器類を副葬された女性

前方後円墳の初現と「畿内」王権

「ヤマト王権」と表現する研究者もいる。古墳時代を論じる際の重要な用語についてである。もとより列島内には文字史料が残されていないので、同時代にどのように自称していたかは不明である以上、現在の私たちが命名するしかない。

他称としては「倭」があり、「わ」そして「やまと」と訓じられる。しかし、「大和」の表記では、後の畿内に存在した国名や古代国家についての呼称とも混同する。従って、古墳時代において用いられていなかった呼称をさかのぼって呼称する場合は、「ヤマト」とカタカナで表記することが多い。

しかし、様々な定義や概念の整理が必要な用語より、単に地理的位置や関係を示す用語がよい。例えば、歴史的な定義が必要な「日本」という国名が誕生する以前については、「列島」あるいは「列島弧」と呼ぶようにしている。だが、この場合、「近畿」では漠然としていて、逆に限定性を持たせにくい。そうなると「畿内」であるが、この用語も律令社会の成立によって「王都の周辺の地」との意味を持って名付けられ、山城・大和・河内・摂津の「四畿内」、後には河内から和泉が分出され「五畿内」と称されることになったものである。従って、これも古墳時代にさかのぼって用いることに課題は残るが、「後の畿内」という「後の」を取り去った意味で、畿内王権ないしは畿内政権と呼ぶことにしたい。

古墳時代の始まりの指標とするのは、前方後円墳の成立である。数十年前まで五世紀初頭を大

西都原100号墳。発掘調査でその成立年代は四世紀代となった

きくさかのぼらないとされた南九州における前方後円墳の成立は、下屋敷古墳（新富町）でまず四世紀代への視野が開けた。しかし、その後の底部穿孔の壺形土器を出土した大淀古墳3号墳（宮崎市）と共に、墳形を前方後円墳と断定するには心許ない状況であった。

そうした中、一九九五年から西都原古墳群で始まった再発掘調査で、五世紀初頭の根拠とされた13号墳から出土した底部穿孔の壺形土器や高坏形土器により、その年代は四世紀後半へと押し上げられ、100号墳の発掘調査の成果も四世紀代を支持することになった。13号墳と100号墳との先後関係については異論もあるが、四世紀前半に100号墳、四世紀後半に13号墳を当てておきたい。そして、西都原古墳群は81号墳、また檍1号墳（宮崎市）の発掘調査が宮崎大学の手で行われ、最古の前方後円墳の存在についてさらに具体的な検討が加えられるようになった。

『三国志』「魏志倭人伝」の中の邪馬台国の卑弥呼は、弥生時代の終わりに位置付けられるのか、古墳時代の始まりに位置付けられるのか、その線引きが揺れている。二四八年に没したとされるが、古墳時代を画する前方後円墳の成立も三世紀半ばとなる。

西都原古墳群最初の前方後円墳の被葬者について、かつては祖父母か父母から卑弥呼の話を聞いていただろうと例えていたが、まさに同時代を生きていた可能性もでてきた。

埴輪出土の新たな展開

埴輪がない。このことも神話と同じである。宮崎出土ではなく全国からの出土資料が基になっていることが正確に認識されている間はよいが、いつの間にか本当のことのように短絡して理解されることが最も怖いことなのである。

新田原古墳群とは、国指定史跡の名称である。新田原台地を中心として分布する古墳を一括して総称しているため、一定の勢力単位が自己完結する古墳群というまとまりを考える上では、明らかに地理的距離的にも離れて位置している群も一括りにされており、適切な括り方ではない。その中でも前方後円墳の集中するのが、祇園原地区の古墳群である。そして、その中の一つの前方後円墳から多種多量の形象埴輪群が検出されたのである。

ただ、形象埴輪が出土する見込みは大いにあった。それは、前方後円墳の表面観察からでも、西都原古墳群において多数を占める前方後円墳が、柄鏡形と呼んでいる前方部が低くて細長いタイプであるのに対して、前方部が高くて幅広のタイプで、少なくとも六世紀を中心とする前方後円墳であることは認識され、特に人物埴輪に代表される多様な埴輪群を出土するなら新田原古墳群をおいてほかになかったのである。

また、二〇〇六年に調査された鹿児島県の墳長五四メートルの前方後円墳・神領10号墳（大崎町）の眉庇付冑を装着した武人埴輪も驚きの成果である。神領古墳群は、五世紀前半の大隅半島では墳長一五四メートルの唐仁大塚（串良町）に次ぐ第二位の規模を持ち、独立的に立地する墳長一四〇メートルの横瀬古墳に隣接する。四基の前方後円墳が存在するが、前方後円墳と地下式横穴墓の共存についても重要な古墳である。

高塚古墳と地下式横穴墓

前方後円墳は、畿内王権に連なる支配者の首長の墓として上位に位置し、その下位に円墳や方墳などの墳丘を持つ古墳、限定的に表現すれば「高塚古墳」が、それぞれの規模の大小によって序列体系を示している。こうした「高塚古墳」に対して全く世界を異にする形で、地下式横穴墓は、南九州在地の勢力、後の熊襲・隼人と呼ばれる被支配者の墓として築造された、といった図式的な解釈が古くは考えられてきた。

西都原4号地下式横穴墓の発掘調査(上)と出土した短甲三領(下)

しかし、西都原古墳群において4号地下式横穴墓が発見され、三領の短甲に鏡や金メッキを施した金銅製の装身具片など豊富な副葬品が出土し、さらに下北方古墳群（宮崎市）において5号地下式横

下北方５号地下式横穴墓出土の金製耳飾り（左下）や副葬品類（右）

穴墓が発見され、甲冑類に鏡、さらにここでは県内唯一の出土となった金製の耳飾りをはじめ豊富な副葬品が出土し、これらの被葬者は首長とみなされる存在であった。

加えて、これらの地下式横穴墓は古墳群内でも直径三〇メートルというような比較的規模の大きい円墳の下に構築されていることも注目された。先に述べたような高塚古墳は畿内王権に連なるもので、在地の地下式横穴墓とは異なるものとする考えにおいては、地下式横穴墓と高塚古墳が同一に築造されるということは、従来は考えられなかった新たな知見に属するものであったのだ。

しかし、それでも高塚古墳の下にたまたま地下式横穴墓が築造されたものか、高塚古墳と同等に地下式横穴墓の墳丘として築かれたものであるのか、その位置付けについてはやはり両者は異なる墓制とみて慎重であった。だが、明らかに墳丘の中心を意識して構築されていることや、その他にも円墳下の地下式横穴墓の存在が知られるに及んで、墳丘を持つ地下式横穴墓の存在は確かなものとなった。それでも、高塚古墳の最上位に位置する前方後円墳を地下式横穴墓の墳丘とすることについては、まだ考えも及ばないところであった。

前方後円墳と地下式横穴墓

十年以上も前、一九四二（昭和十七）年に発掘調査が行われた六野原（国富町）古墳群・地下式横穴墓群の報告書を再度検討していた時のことである。記載された分布地図の中に、六野原唯一の前方後円墳の後円部付近に15号地下式横穴墓の印が付けられていることに気付いた。当時の学問水準の中で作成された報告書であるので詳細を極めない点はあるが、前方後円墳の下に地下式横穴墓の玄室は構築されていたのではないかと考えた。

そうして関連資料を調べる内に、江戸時代も終わりのころ薩摩藩の学者白尾国柱の残した記録の中に、本庄古墳群（国富町）の前方後円墳である猪塚の後円部裾部が陥落して、甲冑と鏡を副葬された地下式横穴墓の発見が詳細に残されていたのを知った。前方後円墳を墳丘とする地下式横穴墓という存在は、さらに新たな南九州の古墳時代像を示すことになると考えた。

そして、近年の生目古墳群の発掘調査で、7号前方後円墳とその周辺の地下式横穴墓、なかでも後円部中心に向かって玄室を持つと見られる地下式横穴墓の検出によって、両者の関係がより明確な形で明らかにされた。それは、「前方後円墳の下の地下式横穴墓」と理解すべきか、「前方後円墳を墳丘とする地下式横穴墓」と理解するかによって相互の主体的な位置付けが変わってくる。前者であれば地下式横穴墓が従属的な位置付けとなるし、後者であれば前方後円墳を我がものとした地下式横穴墓が主体として位置付けられる。

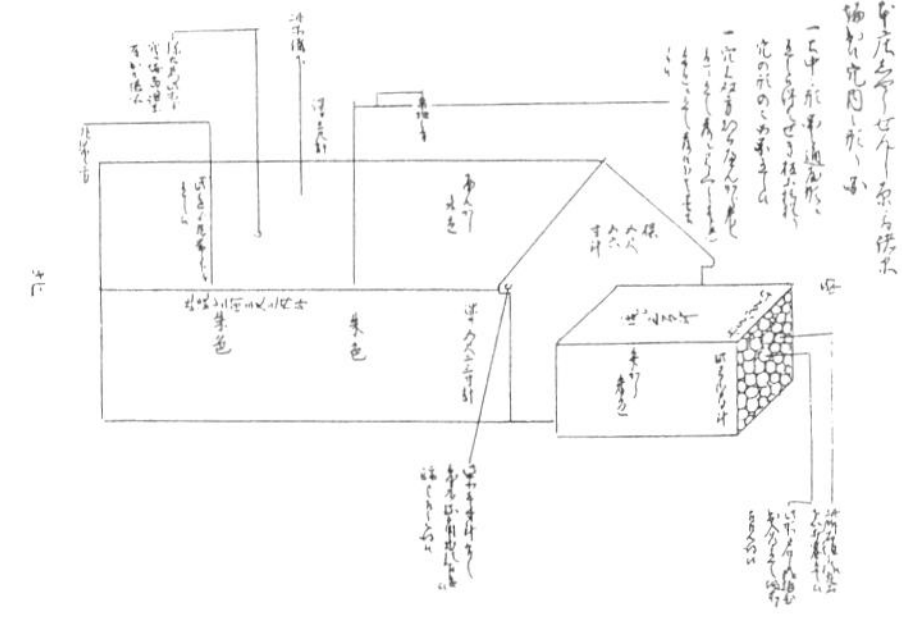

［図１－10］白尾国柱の描いた(？)本庄古墳群の地下式横穴墓

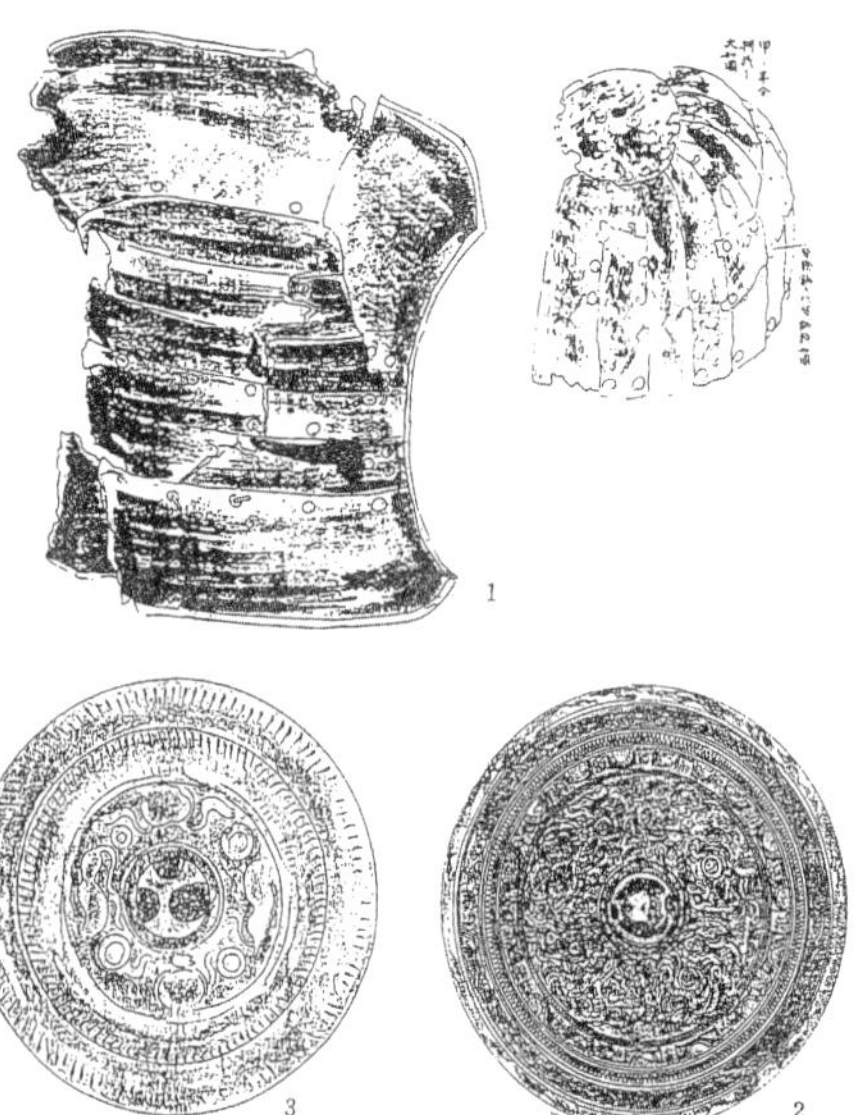

［図１－11］白尾国柱の描いた(？)スケッチ
１横矧板鋲留短甲　２画文帯神獣鏡　３龍虎鏡
（池田耕一「薩摩の考古学者　白尾国柱」『黎明館調査報告』1988年より）

地下式横穴墓の内部と墳丘、特に後円部の全体的な発掘調査は保留されているため、まだ全容を特定するには多くの課題が残されているが、少なくとも地下式横穴墓が従属的であると言うより、主体的位置付けを持つものという印象は強くしている。

地下式横穴墓の分布圏の拡大と終末

地下式横穴墓の分布圏の北限は、古くは一ッ瀬川流域の西都原古墳群と理解されていたが、そ

終末期地下式横穴墓が確認された酒元ノ上遺跡

の後対岸の新田原古墳群（新富町）の一角へと広がった。さらに、それは押し上げられ小丸川流域の南岸の高鍋古墳群の一角に確認されることになった。

この内、西都原古墳群における地下式横穴墓の時期の上限は五世紀後半にさかのぼるのに対して、蔵園地下式横穴墓の年代は六世紀代で、さらに牛牧1号墳で確認された地下式横穴墓の年代は六世紀後半から七世紀前半の年代観に収まるものであった。今までのところ、これらの年代をさかのぼる地下式横穴墓の存在は知られていないので、そうであるとすれば、時代を経るに従って地下式横穴墓の分布が拡散していった結果と見なすことができる。

それは、殊に地下式横穴墓の終末と深く関わってくることである。現在描くことのできる地下式横穴墓の終末は、一九九四年に西都原古墳群の一角の酒元ノ上で確認された、楔形の長大な墓道を持つ地下式横穴墓の存在で画されることになった。それは、列島に広く分布する横穴墓の墓道の要素と従来の地下式横穴墓の玄室が融合することによって成立する終末期の地下式横穴墓と認識されるのである。

一度、そうした型式の地下式横穴墓が確認されると事例は続くもので、その後、下耳切遺跡

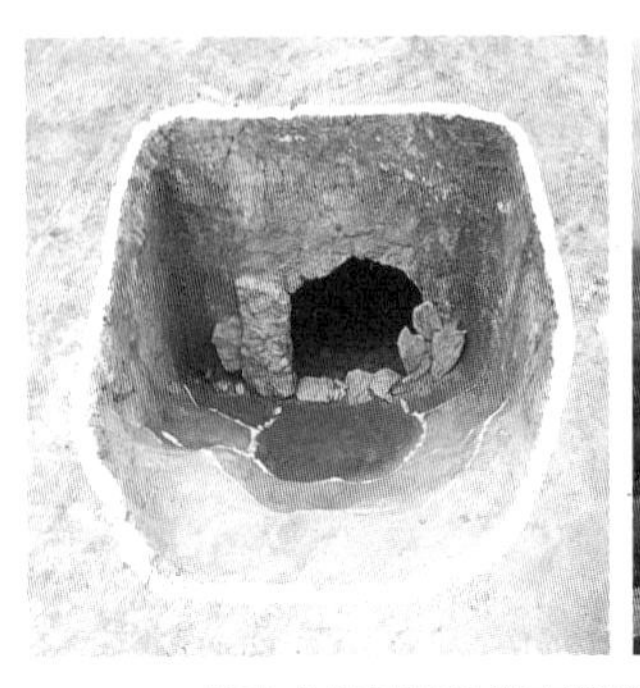

韓国公州丹芝里横穴墓群（右）と横穴墓の墓道と閉塞石（左）

（高鍋町）、堂ヶ島遺跡（西都市）で相次いで同様の型式の地下式横穴墓が確認されることになった。

時は、聖徳太子の時代に入っていた。新しい時代の確かな足音を感じながら、人々は死後の世界にも変革を求めたのである。

韓国の横穴墓

海を渡った朝鮮半島の百済の都があった公州市で、それまでは半島には存在しないと考えられてきた明らかな横穴墓が確認されたのだ。二〇〇四年のことである。その成果は、列島固有と考えられていた前方後円墳が、百済の地域でも南部の、現在の公州市周辺を中心として確認されたことに続く、日韓考古学上重要な発見となった。

正確に言うと、戦前から単独で幾つかの横穴墓と見られる遺構は確認されていたのである。ただ、単発的なこと、しかも古い年次のことで、これまで真正面切って取り上げられてこなかったと言った方がよいかも知れない。しかし、今回の丹芝里遺跡の調査成果はそうはいかなかった。遺跡のほぼ全

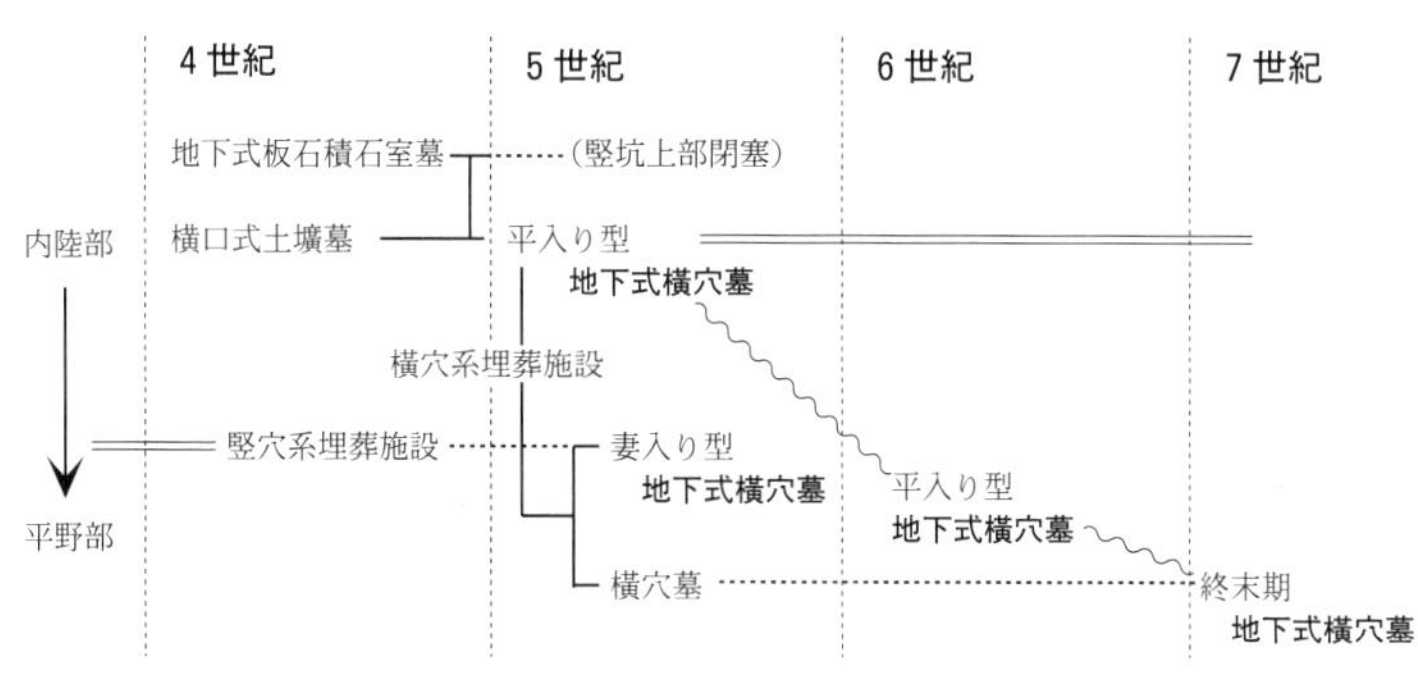

［図1－12］地下式横穴墓変遷概念図

域が調査されたことで最終的に二十三基の横穴墓が姿を現したのである。誰の目にも疑いもなく存在する横穴墓に向き合うことになったのである。

こうしたことは、前方後円墳の確認についても同様のことが言える。前方後円墳の可能性が指摘され始めたのは一九八〇年代に入ってのことである。始めは半信半疑、接近して築造された二基の円墳、経年変化も伴って前方後円墳のように見えるなど、一時は前方後円墳の探索も立ち消えとなりそうだった。そうした中で、誰の目にも明らかな前方後円墳が確認され始めたのである。現在では、その数は十三基となった。

では、この朝鮮半島における横穴墓の成立は、どのような意味があるのだろうか。その源流が列島にあることは間違いない。そして、九州の中において、北部には横穴墓の発生地があり、南部には地下式横穴墓の発生地がある。古くは、北部九州の周防灘沿岸において横穴墓が誕生し、遅れて南九州に地下式横穴墓が成立すると考えられてきた。

しかし、近年の研究成果では、南九州における地下式横穴墓の成立が先んじて、その波及として横穴墓が考えられるようになった。そして、丹芝里の横穴墓は、その北部九州における横穴墓の成立と並行する時期であると調査者は指摘している。そうであれば、南九州における地下式横穴墓の成立が、北部九州のみならず半島における横穴墓の成立にも影響したと考えられるのである。

馬埋葬土坑の発見

馬が埋葬された土坑の検出は、近年相次いでいる。これまでは地下式横穴墓の副葬品として馬具類が認められ、その保有の偏差に地下式横穴墓群を形成した集団の性格が投影されていると見ていた。近年の馬埋葬土坑の検出は、人的埋葬が行われる古墳周辺において付帯的に行われる馬埋葬であり、まさに生前において騎馬する人物の存在を一層強調するものと認識される。

繰り返し取り上げるが、すぐに想起されるのは、推古天皇の詠う「馬なら日向の駒」であり、単刀直入に日向における馬生産の重要性を示しているが、これまではそれを裏付ける資料に薄かったため重要視されてこなかったと言える。しかし、増加する馬埋葬土坑の蓄積によって、この記述の重要性が改めて認識されることになったのである。

騎馬民族は来なかったのか。しかし、騎馬文化は確実に影響したのである。

第五節

国家と祭政 ―― 囲われた都鄙

国衙と国分寺

国衙跡（西都市寺崎）

前方後円墳が象徴した「祭」と「政」の時代は終わりを告げ、誕生した古代日本国家は、仏教を「祭」の中心とし、律令という法体系を「政」の基本とした。各国に、仏教による国家鎮護のため国分寺・国分尼寺を建立し、統治のための役所として国衙の設置を進めた。

飛鳥・奈良・平安時代（七〜十二世紀）、日向国の中心は、古墳時代に引き続き西都市であった。国分寺跡（県指定史跡）は、西都原古墳群の南にある。これまで、布目瓦と呼ばれる古代の瓦が出土し、建物の礎石と伝えられる巨石が残されていたものの、その建物の配置や寺の広がりといった伽藍の全体像をこれまで知ることはでき

国分寺跡から出土した軒丸瓦

なかった。しかし、ここ数年の発掘調査で回廊跡とみられる溝や柱穴、門とみられる柱穴などが確認され始め、荘厳な国分寺伽藍の一端が見え始めている。

国分尼寺は現在の妻高校に所在したと伝えられ、建物跡などがグラウンド部分に残されていることが確認されている。

県庁の庁舎に当たるものを「政庁」、政庁と関連の公の施設を含む部分を「国衙」、国衙を中心とした都市的部分を含めて「国府」と呼ぶ。国衙は一国に一つ、さらに郡単位には郡衙が置かれていた。その国衙は、ここ十年ほどの調査で、都萬神社から稚児ケ池までの間に存在することがほぼ確実となったが、政庁跡の確定には至っていない。

西都原の台地に立って市街地を見下ろす。今では、国衙・国分尼寺・国分寺と甍（いらか）を争うその様を思い描くこともできない。

「官」から「民」へ

権力者は、常にすべてを一手に掌握したがる性癖をもつものであったが、窯の登場、それは単

下村窯出土の須恵器。窯の溶けた壁が付着している

に器作りの一大変革であったばかりでなく、政治的に管理された専業集団の誕生も意味していた。大なり小なり地域の政治単位を中心として民営の窯ではなく、官営の窯として操業された。

縄文土器以来の野焼きを中心とした赤焼きの器に加わり、窯で焼かれる灰色の器が登場するのは、古墳時代の半ば五世紀のことであった。野焼きでは酸素が供給されるため酸化し赤焼きの器となるが、窯では酸素が供給されないことから還元され灰色の硬い器となる。

県内の須恵器の窯跡は、古川（延岡市）、苺田（同）、松ケ迫（宮崎市）など若干ながら知られているが、いずれも古墳時代にさかのぼるものではない。古墳時代には、官窯の須恵器の中心であった畿内の陶邑から、須恵器の供給を受けていたものとみられる。

確認例の少ない中、八世紀には操業を開始したとみられる下村窯跡（宮崎市）は、須恵器の生産とともに日向国分寺などの布目瓦の生産を行った、現在知られる県内唯一の瓦陶兼業の窯跡である。

古代の瓦である布目瓦は、桶状の型枠に粘土の付着を防ぐために布を貼り、瓦の凹面にその布目跡が付くことからそう呼ばれている。外面から叩きしめ、分割して四枚の平瓦が得られる。後には、一枚ごとに成形台の上で作る技法も誕生するが、九州地方では継続して桶巻作りが主流であった。

呪力をもつ文字

言霊（ことだま）、言葉には霊力がある。それを書き写す文字もしかりである。

この列島の人々が、文字の存在を知ったのは弥生時代。だが、使用したのは古墳時代。最近、最古の文字ではないかと、それが記された土器の出土が話題となった。しかし、日常的な文字の使用は列島社会が文字通り日本国となり、古事記が最古の文学資料として残される八世紀の初めから。

余り田遺跡出土の墨書土器

県内ではここ数年、多くの古代の文字資料が発見されるようになった。墨書（ぼくしょ）土器と呼ばれる墨書きされた土器である。三十余りの遺跡から出土している。中でも、昌明寺（しょうみょうじ）遺跡（えびの市）、余り田（あまりだ）遺跡（宮崎市）からは多量に出土し、注目を浴びた。平安時代を中心とし、昌明寺からは

「石」や「用」の文字を書いたものが多く、余り田では「日万」の文字が多く見られた。

祭祀的な要素の強いもので、遺跡ごとに使用される文字の傾向や頻度に特徴が見られるのは、集団ごとにシンボル的な文字が認識されていたためであろう。そして、祭祀的な要素は、出土文字の中に「則天文字」と呼ばれる文字が含まれていることからうかがえる。

七世紀末、中国大陸を支配した唯一の女帝則天武后は、文字をも支配しようとした。則天文字、たとえば「圀」は現代に生き延びたその一つである。支配者の強力な権力の表れであるが故に、その死と共に歴史の闇に封印された。しかし、それから百年以上も後の日本で、その文字は霊力のある特殊な文字として息を吹き返していたのである。

堀で自衛する中世

中世社会は、堀や溝を多用する社会であった。城館が、戦乱の不安定な世情を象徴している。堀は、防御のための重要な遮断線であったが、同時に堀底は外の世界とを結ぶ通路でもあった。中世の城は、自然の地形を最大限に利用し、堀と土塁、平坦面を造成した曲輪によって構成される。曲輪への入り口は虎口と呼ばれ、敵の侵入を防ぐための重要な施設である。そこに注がれた工夫の変遷は、城そのものの変遷でもある。

南九州の典型的な中世城は、低い台地を大規模な堀で裁断し、曲輪の縁を高い土塁で防御した、

大規模な堀で台地を裁断し土塁で防御した都於郡城跡

姿を現した佐土原城跡の天守台跡

群集する曲輪で構成される。都於郡城跡（西都市）、櫛間城跡（串間市）など。一方、高い丘陵の細い尾根筋を堀で裁断し、連続する曲輪で構成されるのは、宮崎城跡（宮崎市）、佐土原城跡（宮崎市）など。城の特徴には、大きく二つの傾向がある。

城と同様、中世社会の重要な遺構として方形居館がある。典型的な例である上ノ園遺跡（都城市）は、深い堀と浅い溝で囲まれた館跡である。一重目の堀は、深く防御の役割を持つ。二重目は溝で、浅く館敷地内部の排水路的な役割をもっていた。

この堀と溝の間には、防御をより確かなものにするため土塁が築かれていた。同じ都城盆地の上大五郎遺跡は、堀を含む全体が約五〇〇〇平方メートル、内部の屋敷地が約三五〇〇平方メートルの広さを持つ。同じ方形居館であるが、堀の使い方には違いがある。堀の床面は、硬く踏みしめられ、通路として使用された例である。

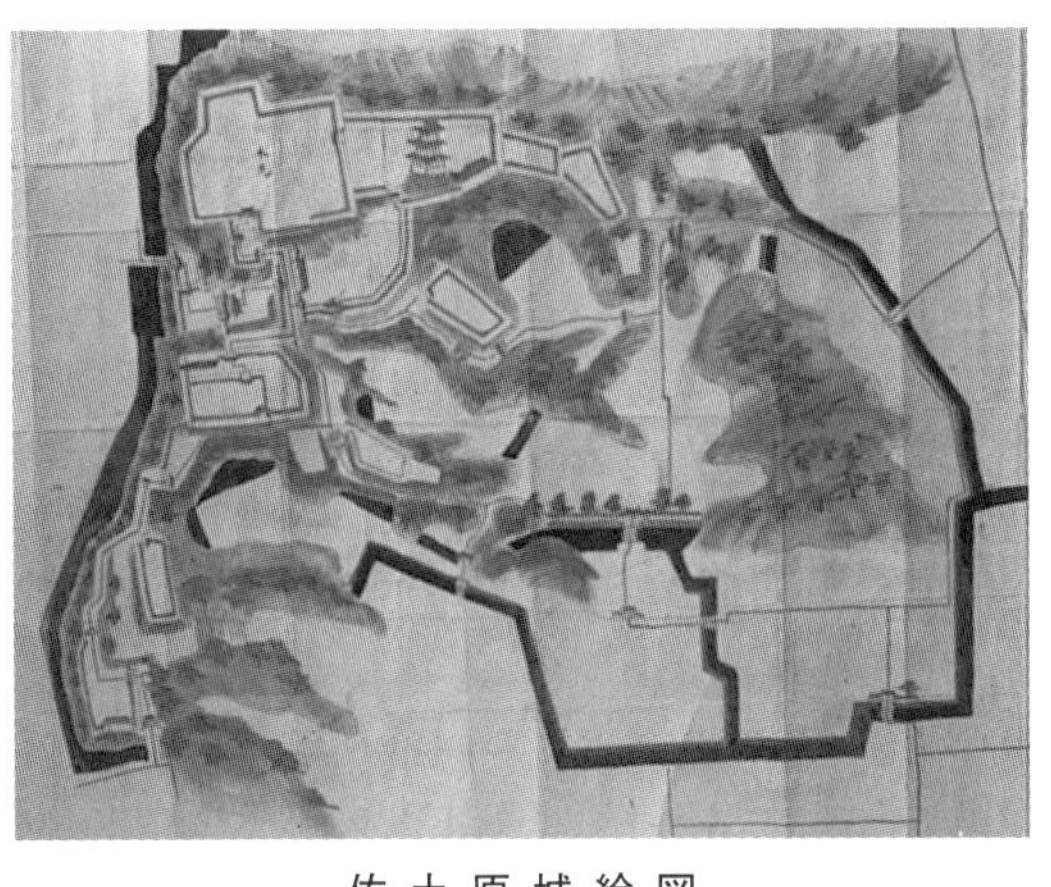
佐土原城絵図

砂上の天守閣

城といえば、石垣の上にそびえ立つ天守閣。そうした強烈なイメージがつきまとう。しかし、城は自然地形を巧みに利用し、堀や土塁で防御を固めた土木技術の産物。「土」偏に旁（つくり）の「成」という文字自体が、端的に城誕生の姿を伝えると同時に安直なイメージの変更を迫っている。

石垣・天守閣の最初は、織田信長の安土城。城の長い歴史から見れば、最後に現れる権威・権力の象徴としての近世城の誕生であった。県内には四百以上の城跡が存在する。その九九パーセントは石垣・天守閣のない、実戦の城である。石垣を構えるのは、近世に存続した延岡城、高鍋城、飫肥城の三城。

また、絵図や文献の上で天守閣の存在を伝えるものは確かにある。だが、絵図を残した人々も、石垣・天守閣のイメージに囚（とら）われていた。従って、時に誇張や装飾が見られるため、記述のすべてを信頼する訳にはいかない。

佐土原城跡についてもそうであった。絵図などが伝える天守閣の存在には、多くの研究者は否定的であった。そうした中、一九九六年からの佐土原城跡の発掘調査は、新たな論争を提供した。本丸部分には、天守台跡と伝えられる河原石が露出する高まりがあった。

発掘の結果、石垣と建物の礎石、出土した多量の瓦の中には鯱瓦（しゃちほこがわら）の破片も含まれていた。つまり、調査の成果は石垣と天守閣の存在の可能性を支持した。

中世城から近世城へ、過渡期の城として注目されるのは、イメージとは逆に石垣・天守閣が希有（けう）な存在だからなのである。

東大寺の虹梁と白鳥山

一九七九年、九州縦貫自動車道建設に伴う前畑遺跡（えびの市）の発掘調査で、幅約二メートルで二〇センチおきに凹凸が連続する未知の溝状遺構が検出された。「木馬道」の可能性、丸太

前畑遺跡の溝状遺構

を連続して「ころ」として据え置き、木材を引き出す運搬道。その遺構が直接結びつくものではないとしてもと思いつつ、見上げた視線の先には霧島連山の一角、白鳥山が姿を現していた。

その白鳥山が奈良の東大寺と深くかかわる山であることを知る人は少ない。奈良時代に創建された大仏殿は、その後二度の戦火で焼け落ち、江戸時代元禄年間には、あの巨大な大仏は雨ざらしの状態であった。時に公慶上人、将軍綱吉とその母桂昌院の支持を受け、大仏殿の再建に取り組む。建立時より一回り縮小したとはいえ、長さ十三間（約二五メートル）の虹梁（こうりょう）で大屋根を組む必要があった。

しかし、その様に巨大な用材は簡単には見つからない。ある夜、探しあぐねた公慶の夢枕に白鳥が飛来し、その導く所は日向国白鳥山であった。一七〇三（元禄十六）年こうして発見され切り出された用材は、鹿児島県「浜ノ市」から海路日向細島、兵庫港を経由し、淀川・木津川をさかのぼり陸揚げされ、奈良に到着した。陸送には毎日二、三千人もの人々が繰り出され、木遣（きやり）音頭と歓声で迎えられたという。その大虹梁が、今もあの大仏殿を支えているのだ。

あたかも、私たちの郷土にまだまだ多くの知られざる歴史が刻まれ、それが現在の私たちの生活を支えているように。

国衙政庁跡の確定

「国衙」は、古代の地方支配の単位である「国」の中枢で、国司や役人が政務を司っていたところである。中心的な建物群が「政庁」で、その基本形は各国共通しており、正殿・脇殿と呼ばれる建物が規格的に配置されている。その周辺の都市的空間を含めた範囲は、「国府」と呼ばれる。この三種の用語は、必ずしも明確に概念整理がされているわけではなく、重複した概念として使用されることもあるが、少なくともこうして理解しておく方が分かりやすい。

一九八八年より県教育委員会が実施した国衙・郡衙・古寺跡等の所在を確認する分布調査や確認調査の結果、西都市大字右松の寺崎遺跡一帯において、古代においては役所や寺院などの重要な建物にしか用いられなかった布目瓦や、平城宮（奈良市）出土土器と共通する特徴を持つ土器、まだ文字の使用が一般的でなかった時代に、役所の存在を想定させる硯・木簡・墨書土器などが出土しており、当地が日向国衙跡の有力な候補地として絞り込まれた。付近には、南北・東西方向に直線の街路も残っており、古代の規格的な地割りの名残と考えられた。

国衙跡出土の硯等（上）と木簡（左）

確認調査の結果、基壇上に建てられた、南北両面に庇を持つ東西棟の建物跡の一部を検出した。掘立柱から礎石建ての建物に、同一場所で建て替えられており、その周辺から布目瓦が多数出土している。このように、基壇の上に建てられていること、一時期限りでなく建築位置が踏襲されること、瓦葺きであること、規模の大きさが他遺跡の建物と比較して際だっていること、などの諸条件を考慮した場合、国衙の正殿と呼ばれる建物に該当する可能性が高く、当遺跡が国衙跡であると確定した。

出土遺物から、建物の年代は九世紀初頭と考えられるが、それよりも古い時期の掘立柱建物も検出されており、当遺跡近辺は継続的に役所の機能を持った場所であったと考えられる。二〇〇五年に国指定史跡となった。

国分寺跡についても西都市教育委員会の手で確認調査が進められ、伽藍の配置が明らかになってきているが、公的施設以外の寺院跡についても、法光寺跡（えびの市）や源藤遺跡（宮崎市）に所在したとされる長命寺を推定させる遺跡などによって、古代から中世にかけての変遷が少しずつではあるが明らかになってきている。

また、大島畠田遺跡（都城市）は、宮崎県東南部の都城盆地にある平安時代の有力者層の居宅跡の構造を明らかにした点で重要な成果を上げた。居宅跡は東西約七〇メートル、南北八〇メートル以上の規模があり、中心は四面庇の大型建物で中島を備えた池などがある。南九州地域における律令社会の崩壊と地域の有力者が成長する時期の、在地における様相を知る上で重要であるとして、二〇〇二年に国指定史跡となった。

中世城跡の国指定

宮崎県における国・県の史跡指定にはある種の不均衡があった。国の特別史跡は西都原古墳群の一件で、史跡は二十一件中十一件が古墳関係、実は「昭和」の間は全体で十五件であったので、実に七割以上が古墳関係で占められていたことになる。県指定史跡でも、九十七件中これも七割近くの六十七件が古墳関係である。つまり、古墳関係の遺跡が集中的に指定されているのである。

「平成」に入って、そうした不均衡を正すことを考え六件の国指定が進められたが、その内訳は次に述べる三件の中世城跡のほか、縄文時代遺跡一件、古代遺跡二件である。

城跡の保護と史跡指定のためには、まず実態を把握し、基礎資料を整備する必要があった。宮崎県内の城跡を悉皆的に調査することにし、手始めに明治初年の『日向地誌』に記された城跡を数え上げると百八十一城であった。しかし、県内各地での「ジョンヤマ」「ジョウヤマ」などとする地元の伝承や、「麓」「野首」「馬場」など地名に城跡の可能性を求めることができたものなど、聞き取りも含めて現地踏査を行った結果、城・砦等の堀・土塁等で防御的機能を持った遺跡の数は、最終的には五百三十一城に及ぶことになった。ちなみに、地名の中で南九州に特徴的なものとして、県北では「囲（かこい）」、県南では「栫（かこい）」の付く地名がある。

こうした悉皆的調査を踏まえて選定した結果、二〇〇〇年に都於郡城跡（西都市）が、宮崎県所在の城跡としては初めて国史跡に指定された。国指定史跡としては、一九八〇年の常心塚古墳（西都市）が指定されて以来、二十年ぶりのことであった。その後、二〇〇二年には穆佐城跡（宮崎市高岡町）、二〇〇四年には佐土原城跡も国指定史跡となった。これらは、続けられてきた中近世城館跡の悉皆調査の成果の表れである。

佐土原城跡については、その後報告書が刊行され、金箔鯱瓦の出土も確認された。金箔を施した鯱瓦は織田・豊臣に関係する城郭に特有な特殊なものであることから重要性が深まる。いずれにしても、「天正年中佐土原城下絵図」は描かれた年代が不詳であるが、石垣を築く天守台に天守を表現する表現の蓋然性が高まったことになる。

ただし、天正期（一五七三〜九二年）か慶長期（一五九六〜一六一五年）の何れかに重層の建物が建築され、慶長十六（一六一一）年には城郭の補修が記録の中に「天主」の文字が見えることなども含めて、なお慎重に遺構の在り方に即して、天主（守）台とその建築物の在り方については検討する必要がある。

画期的な山内石塔群の調査

石塔類の金石文や墨書土器は、紙に書かれた古文書と違う文字史料として重要な歴史の証言者である。中でも、石塔類の考古学的発掘調査の先陣を切ったのは、学園都市遺跡群の中の一つ山内石塔群であった。それまで、地表に露出したものだけを簡単な記録に留めることで済まされてきた石塔群を、発掘調査という考古学の手法によって掘り起こし、中世社会の在り方へと迫る画期的な成果となった。

山内石塔群

それが評価されて、一九八九年に創設されたばかりの第一回の坪井良平賞の候補として、奈良大学学長も務められた水野正好さんから打診を受けた。坪井良平賞は奈良国立文化財研究所長などを歴任された坪井清足さんの父上で、特に、梵鐘の研究で知られた坪井良平さんの業績を記念して、古代以降の「歴史考古学」の業績を賞することを目的として創設された。石塔群の構成・変遷を通して解明される中世社会の歴史的位置付けについて、「山内石塔群」と題した論文を『佛教芸術』一八二号（毎日新聞社、一九八九年）に発表していた。

嬉しいことであったが、山内石塔群の発掘調査は、期限も限られていたため当時の調査員を総動員で当たったものであったため、個人での受賞は躊躇された。「そう（言う）だろうね」と水野さんも、個人の研究業績を賞する性格から、機関や団体での受賞は馴染みにくいことから取り下げられた。しかし、そうした評価を受けた画期的な発掘調査であったのだ。当時誰にも知らせなかったことであるので、記憶に留めておきたい。

その水野さんには、山内石塔群の発掘調査で度々指導を受けた。ある日は、雨の降りしきる中、不幸にして雨具の準備もなく、それでも現場に立ち続け、雨に濡れることを厭われなかった。こうして身を以て、現地に立つことの重要性を教えられた。またある時は、機関銃のように問い、そしてその応えに自らの考えを、また機関銃のように述べられた。そこにあるものは何時も、物の向こうにある人間精神を見通す眼差しであった。

考古学からみた中世

中世は、文書・絵画など文字史料が多く残され始める。しかし、日常生活の有様は考古学によって具体的に解き明かすことができる。前史をなす古代と画するキーワードを抽出していくと次のようである。

領主・名主の「居館」が顕在化し、「城郭」は最も中世社会を特色付けるものであった。そして、信仰・宗教など精神生活・死後の世界観の具体的な現れとして、武士層を中心として寺社仏閣が尊重され、それらは「墓地」や「寺社」の跡として残されている。「水田」「畑」は生産基盤としての役割を担うことは勿論であるが、交易や租税対象として社会の流通や体制の維持といった面も重要な要素となった。

一方、専業化された陶磁器などの生産・流通は、国内に留まらずアジア規模の広がりの中で、「国産陶磁器」「輸入陶磁器」が展開する姿が、確実に見える点も中世社会の特色と言える。動脈としての「街道」や「河川」、そして「港」は流通に欠かせないものとしてその役割は小さくはなかった。その他、伝統的な赤焼きの土器の系譜は、「土師質土器」として地域性を色濃く示しながら展開していった。そして、古代から中世にかけて特徴的な滑石製石鍋も流通する。

また、渡来銭が中心であった時代から、明の銭貨の輸出禁止から十五世紀中頃には模倣した私鋳銭も出回ることになった。その「銭貨」も一義的な流通の媒介という経済的役割だけではなく、備蓄銭の習慣を生みだし、「六道銭」すなわち「三途の川の渡し銭」に見るように信仰・儀礼の対象ともなった。

昌明寺遺跡（えびの市）では、漆塗り碗・箸・櫛・曲物・桶・農具などが出土すると共に、割材や削り屑も混在することから周辺で製作が行われたとみられ、その日常生活の一端を明らかにした。また、石塔類の金石文や墨書土器は、紙に書かれた文書と違う文字史料として加えられることになった。

なお、ここでも、火山灰が重要な役割を果たしている。「文明ボラ」と呼ばれる火山灰で、近世に成立した地誌類によれば文明三年（一四七一）、七年、八年、一七年に桜島の噴火が記録されており、このいずれかの噴火軽石と考えられる。中でも八年の噴火は最も規模が大きく記事も豊富である。時期的には室町幕府の崩壊の引き金となった「応仁文明の大乱」の時期であり、中世末の画期と重なる。鶴喰遺跡（都城市）では耕作途中と考えられる水田が、この文明ボラに封印される形で発見された。

陶磁器類の交流と交易

中国大陸からは、北宋（九六〇〜一一二七）から明（一三六八〜一六六二）の時代に生産された輸入陶磁器として、越州窯、龍泉窯（浙江省）、同安窯（福建省）、景徳鎮窯（江西省）、磁州窯（河北省）などから、青磁・白磁・染付（青花）などの磁器、緑釉・褐釉など陶器など多量の皿・坏・碗が輸入された。また、朝鮮半島からは、高麗青磁が輸入されている。その他、タイ・ベトナムなどからも特徴ある製品が輸入されている。

これらは、全国的には九世紀以降盛んになり、十世紀前半には越州窯の青磁、後半から十一世紀には白磁が増加する。中世に入る十二世紀から十四世紀には龍泉窯の青磁が急増し、十五世紀前半から景徳鎮の染付が多くなる。高麗青磁は、十二世紀に頂点に達し十四世紀後半には衰退した。県内でも、龍泉窯は約六〇パーセントを占め、越州窯が約五パーセント、同安窯が約一四パーセントであるのと対照的である。

一方、国産は瀬戸、常滑（愛知県）、信楽（滋賀県）、丹波（兵庫県）、備前（岡山県）、越前（福井県）の六古窯の成立が中世の幕開きである十二世紀を象徴している。しかし、県内産の製品は、十六世紀以降の庵川窯（門川町）の操業を待たなければならない。県内では、常滑が十三世紀〜十四世紀に、十四世紀前後から備前が入り十五世紀には主流となる。また、近世には肥前、薩摩が主流となる。出土量については、備前が約八〇パーセントに及ぼうとするのに対して、東播系（兵庫県）や常滑が数パーセント、瀬戸や美濃（岐阜県）や肥前（佐賀・長崎県）は僅かである。その他、越前や渥美（愛知県）も確認されている。

また、縄文土器以来の素焼きの坏・皿類の特徴として、ヘラによる切り離しが、糸による切り離しへと変わるが、北部九州では遅く十一世紀後半から十二世紀前半、県内ではさらに十三世紀後半にヘラ切りから糸切り、十四世紀から十六世紀にかけても両技法が併存するなど依然として地域性は顕在なのである。

2の章　日向神話の考古学

はじめに

大正時代の西都原古墳群の発掘調査は、わが国における古墳の本格的発掘調査の始まりとして、考古学史に記憶される。その目的は、「皇祖発祥の地」の実証であった。しかし、当時の学問水準がもたらした結論は、畿内に比して新しい日向の古墳時代の幕開けだった。永い間、畿内から一世紀ほど遅れる五世紀初頭がその開始時期として認識されることになった。

しかし、近年の発掘調査などの成果は、日向神話を含む『記・紀』世界を実証するものとなっている。いや、全てが歴史事実というのではなく、『記・紀』世界の構造を明らかにし、何が歴史事実であるか、何が虚構されたものであるのかを直視することができるようになった、と言った方がよいかも知れない。

そして、日向における古墳時代の開始は、畿内と時間差を持つことのない三世紀中頃を射程に入れながら、さかのぼることが明らかになった。それと同時に、四・五・六世紀の各時代相が明らかになるに従って、特に景行天皇以降の『記・紀』の叙述と考古学の資料との整合性が浮き彫りになってきている。

宮崎県内の古墳群の変遷と、景行天皇以降の出来事を重ね合わせてみると、四世紀代にまず巨大古墳が姿を現す生目古墳群（宮崎市）は、景行天皇と御刀媛との婚姻、そしてその間に生まれた日向国造の始祖とされる豊国別皇子の存在と対応することに気付かされるし、五世紀代からの展開の詳細については、本文に述べるところである。

まずは、日向神話を読み解きながら、考古学が明らかにする古代世界の実像を明らかにしていきたい。そのプロローグ、『古事記』を中心にその概要をまとめておきたい。

「日向神話」へ

イザナキ（伊邪那岐）とイザナミ（伊邪那美）は国生みの神さま、天の浮橋に降り立ち天の沼矛のしたたりが固まったオノコロ（淤能碁呂）島から二人の国づくりがはじまる。

国の基礎となる島々を生み、多様な神々を生み出し、最後に火の神を生む。火の神の名はカグツチ（迦具土）、その炎でイザナミは火傷を負い死にいたる。イザナミを失ったイザナキは怒りにまかせて、十握の剣でカグツチを殺してしまう。

それでも悲しみが癒されないイザナキは、イザナミに会いたさに黄泉の国へ出向いていく。応えて、イザナミは「黄泉の国の食べ物を口にして帰ることができない。しかし、迎えに来てくれたので黄泉の国の神さまに相談するので、その間、自分の姿を見ないで欲しい」と懇願する。イザナキはしばらく待ったが、なかなか姿を現わさないのにしびれを切らし、イザナミの入って行った建物の中を覗いてしまう。

そこに見たものは、腐敗しウジのたかるイザナミの姿であった。変わり果てた姿を見られたイザナミは怒り、イザナキを追いかける。命からがら黄泉の国の入口までたどり着いたイザナキは、大きな岩で道をふさぎ、ようやく逃げ切る。

その黄泉の国の汚れを洗い流すために阿波岐原（あわきはら）に出かけ、イザナキは「みそぎ」をする。みそぎの中からまた多くの神々が生まれ、最後に顔を洗った時、左目から高天原を治めるアマテラス（天照）が、右目から夜を治めるツクヨミ（月読）が、鼻から海を治めるスサノヲ（須佐之男）が生まれる。

海を治めることになったスサノヲだったが、毎日乱暴しては泣き続け、母のイザナミに会いに根堅州国（ねのかたすくに）（黄泉の国）に行きたいと思い詰める。それを聞いたイザナキは、自らのもとからスサノヲを追放する。アマテラスは、相談のため訪れようとするスサノヲを見て、自らが治める高天原を奪いに来るのではないかと男装をし、武器を帯びて弟を迎える。それに対してスサノヲは、決してそうした野望はないと応え、誓いを立てる。

しかし、その後も乱暴ぶりの収まらないスサノヲに、さすがのアマテラスも手を焼き、岩戸に隠れてしまう。高天原は暗闇に包まれ、その後繰り広げられるのがアメノウズメ（天宇受売）の舞いに、タヂカラ（手力）が岩戸を押し開く「岩戸開き」である。今度は高天原から追放されることになったスサノヲは出雲に辿り着き、ヤマタノヲロチ（八俣大蛇）退治を経て、オホクニヌシ（大国主）の国譲りへとつながる「出雲神話」が語られることになる。

一方、アマテラスは孫のニニギノミコト（邇邇芸命）を呼び、オホクニヌシから譲られた葦原中国を治めるように命じる。そして、降り来たったのが高千穂峰であった。

――こうして「日向神話」が始まるのである。

なお、『古事記』と『日本書紀』とでは、用いられる漢字表記も異なれば、記述の内容にも違いが見られる。ここでは、『記・紀』相互にこだわらず、馴染みやすい漢字表記を適宜採用したが、そうした違いを知るのも面白い発見である。食わず嫌いにならずに、『記・紀』両方に目を通し、様々な意味で親しむ契機になればと思う。

第一節

檍原（阿波岐原）の考古学

> 伊奘諾尊、既に還りて、乃ち追ひて悔いて曰はく、「吾前に不須也凶目き汚穢き處に到る。故、吾が身の濁穢を滌ひ去てむ」とのたまひて、則ち往きて筑紫の日向の小戸の橘の檍原に至りまして、禊ぎ除へたまふ。
>
> （『日本書紀』巻第一　神代上）

禊ぎ祓い伝承の地

青い空と、その青が映り込んで、さらに蒼さを増した海。そして、肌を射す陽光があった。白い波が幾重にも海岸線に打ち寄せ、その南北に長い海岸線は、南と北の荒々しい岩肌とそれをつなぐ優しい弓なりの砂浜など変化に富み、宮崎県を代表する美しい景観を形成している。

そして、宮崎平野を貫流する大淀川の北岸には、日向灘に添って南北に延びる四本の砂丘列が

宮崎市阿波岐原にある禊ぎ池（左）。近くには江田神社（右）も鎮座する。いずれも海に近い森の中にある

並んでいる。普段はあまり意識されることのないこうした地形だが、シーガイアまでの道路など、砂丘列を東西に横断する道路が整備されて、起伏のあるその地形を容易に実感することが出来るようになった。

その砂丘列の付け根部分、市民の森公園の一角に位置しているのが、ここに記述された禊ぎ祓い（みそぎはらい）の檍原（阿波岐原）の伝承地である。近くには式内社（しきないしゃ）の三之宮である江田（えだ）神社が位置している。式内社とは、平安時代の中頃、延喜五（九〇五）年から編纂が始まった律令の細かな決まり事などを纏（まと）めた基本法典『延喜式（えんぎしき）』に記載された神社で、由緒としては最も古い時期から存在したと認めることが出来るものである。日向の国には、都農神社（都農町）、都萬（つま）神社（西都市）、江田神社（宮崎市）、霧島神社（小林市）の四座がある。諸説あるが国司の巡拝の順番に起源して、社格から一之宮・二之宮などと呼ぶ。

『古事記』・『日本書紀』の編纂された古代において、何故、時に陸の孤島とも称された宮崎県すなわち日向の国が、「日本のふるさと」皇祖発祥(こうそはっしょう)の地と位置づけられたのか。これに対する答えは未だ明確ではない。しかし、日向も舞台となる伊奘諾尊(いざなきのみこと)と伊奘冉尊(いざなみのみこと)の説話は、記紀神話のはじめに国産み・神産みとして登場し、とりわけ重要な要素を含み、またロマンに満ちた説話であることは間違いない。

だが、考古学的に強く興味が引かれるのは、多くの島々や神々を生んだこうした件(くだり)よりも、伊奘冉尊の死によって物語が暗転してからの「黄泉(よみ)の国」についての記述のほうである。

考古学から見た黄泉の国

『紀』では「黄泉(よもつくに)」、『記』では「黄泉国(よみのくに)」としている。他に『紀』には根国(ねのくに)の表現があり、遠き国、地下の底の国、母なる大地の国などと解釈がなされる一方、『記』には「根堅州国(ねのかたすくに)」との表現があり、これは黄泉国と同じ意味で扱われている。

伊奘冉尊を失い悲しむ伊奘諾尊は、伊奘冉尊を取り戻すべく黄泉の国へと行く。それに対し、すでに「黄泉戸喫(よもつへぐい)」したので現世に戻ることは叶(かな)わないと思うが、せっかく迎えにきた愛しい夫のためにも帰りたい、と伊奘冉尊は応える。そして、黄泉の国の神と相談する間、自分の姿を見ないで欲しいと伊奘諾尊に念を押す。

しかし、永く待たされた伊奘諾尊は、「櫛」の端に火を付け、伊奘冉尊の姿を覗き見てしまう。そこに見たのは、「膿沸き蟲流る」悲惨な伊奘冉尊の姿であった。その様子に恐れおののき、伊奘諾尊は逃げ帰ろうとする。その後を伊奘冉尊は、黄泉醜女を遣いとして追いかける。途中、伊奘諾尊はそれらを振り払おうと、「角髪」に付けていた櫛を投げ捨てると、それが筍になり、黄泉醜女が食べている間に逃げる。さらに追いかけてくる悪霊達から、『古事記』では「桃子」三個を投げることで伊奘諾尊はようやく逃げきる。

最後に、自ら追いかけてきた伊奘冉尊を、千人の力で動かすような大きな岩で、黄泉の国と現世の境である黄泉比良坂を塞ぐことで振り払い、伊奘諾尊と伊奘冉尊は「絶妻之誓建す」ことになる。そして、こうした黄泉の国の汚れを水に入って身を清める場所として登場するのが、檍原（阿波岐原）である。

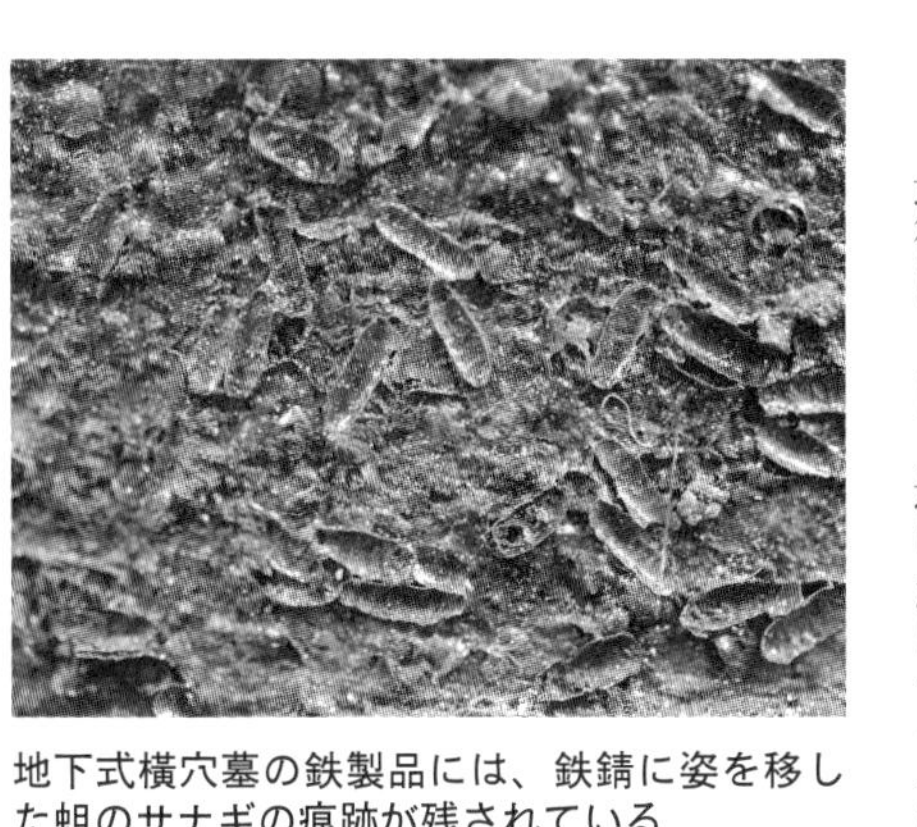

地下式横穴墓の鉄製品には、鉄錆に姿を移した蛆のサナギの痕跡が残されている

こうした説話を、考古学的に見てみるとどうであろうか。

「黄泉戸喫」とは、「黄泉の国の食べ物を食べたので、黄泉の国の住人になった（再び生の世界へは戻れない）」の意味である。発掘調査の成果では、古墳時代の古墳や横穴墓などに供えられた土器類（土師器・須恵器）には、具体的に食物が盛られていたことが知られている。西都原古墳群では、器の底に積もった埃状の物質を分析した結果、あの頭が良くなるというＤＨＡ（ドコサヘキサエン酸）が検出され、魚類が供えられていたことが判明した。また、市の瀬地下式横穴墓（国富町）ではアワビ、広瀬城ヶ峰横穴墓（佐土原町）ではドブガイが供えられていた。勿論、残っているのは貝殻だけである。

また、人物埴輪（はにわ）の中で皿を捧げ持つ巫女（みこ）を現したものがあり、皿の中には食物とおぼしきものも表現されている。しかし、考えてみれば、こうした実例は生者が死者に供えるもので、黄泉の国の食べ物ではない。従って、黄泉戸喫を表すものではなく、逆に、黄泉の国の食べ物を食べないように、再生を願って供えられたものと考えたほうがよいかもしれない。

「角髪」又は美豆良（みずら）は、古代の男性の髪型となると直ぐ連想される、両耳の脇に髪を束ねた髪型である。人物埴輪などによってその実際を確認することが出来るが、まれな調査例として、実物の美豆良が武者塚古墳（茨城県）から出土している。

霊力があると考えられていた「櫛」の出土は、県内では古く浄土寺山古墳（延岡市）から知られているほか、上ノ

器をささげもつ女性（百足塚古墳出土）
新富町百足塚古墳出土の人形埴輪には器をささげもつ女性像も出土している（左から２体目）

浄土寺山古墳出土の竪櫛。霊力があると信じられた

原地下式横穴墓（綾町）からは、頭骨に付着するなどした状態で発見されている。ことに上ノ原では、櫛の付着した男女の頭骨もさりながら、玄室（遺体を納める部屋）の壁に刀子（現代では小刀）が突き立てられていた様には、黄泉の国を覗き見るような衝撃があった。

「蟲（蛆）たかる」状態については、宮崎県を中心とした南九州独特の墓制である地下式横穴墓に、良好に残された直刀や甲冑などの鉄製品を仔細に観察することで、まざまざと思い浮かべることが出来る。人体が腐乱すると同時に鉄製品が錆び始める。そうして最後には、鉄錆に姿を移した蛆のサナギの痕跡が残されることになる。

死後埋葬までの間には、さまざまな儀式が行われていたと考えられている。直ぐに思い浮かぶのは、殯と言われる一定期間、それは一年以上時には五年以上の永きに渡る場合もあったとされるが、遺体をすぐに埋葬せずに殯の宮と呼ばれる小屋に安置する儀式が伝えられている。これは、死者が白骨化するなど、蘇生することがないのを確認するためと考えられている。また、前原地下式横穴墓（西都市）などでは、後から亡くなった人を加えて埋葬する追葬時に先に葬った人骨を片付けた例もある。これなどは、単純に葬る空間を確保するためというのではなく、死者が再生しないように行われたものと考えられる。

再生を願ったものか、あるいは再生を阻止しようとしたものか、古代人の死後の世界観については、まだまだ奥深いものがある。

最後に、「絶妻之誓建す(ことどわたす)」とは別離を告げる意味であるが、ここには壮絶な愛と死が刻み込まれており、それに思いをいたすと胸が熱くなる場面である。古来から、生と死を分かつ別離は、もっとも辛い惜別(せきべつ)の別れである。もはや、ここでは考古学とか学問などは必要としないであろう。人として、人を想う心のままで感じれば。

阿波岐原周辺の遺跡

では、宮崎市内の遺跡の実際はどのようであったのだろうか。黄泉の国から逃げ帰った伊奘諾尊(いざなきのみこと)が、汚れを払うために禊ぎ祓いをしたという伝承地・阿波岐原の周辺には、多くの弥生時代から古墳時代にかけての遺跡が残されている。

縄文時代の遺跡は、阿波岐原周辺から南に延びる四本の砂丘列上に、現在までのところ確認されていない。しかし、少なくとも縄文時代の終わり頃には、ほぼ今私達が見るような日向灘の海岸線は形成されていた。少し場所は南の方に離れるが、海浜部の砂丘上に営まれた縄文時代の遺跡の代表として、こどものくにに近く、現在青島バイパスが通る周辺に広がる松添(まつぞえ)貝塚がある。貝塚とは、食用に供した後の貝殻などを捨てた場所で、言ってみれば食べ物のゴミ捨て場である。多量に出土するのが貝殻であるため貝塚と呼ばれるが、豊富なカルシウムのお陰で食用に供された魚類や動物類などの骨も良く残されている。そこから、縄文人の四季折々の食生活の実態が浮かび上がることになる。

四本の砂丘列上に遺跡が営まれ始めるのは、弥生時代の始まりからである。砂丘列の間の低地に水田を営み、砂丘上に住居を構えた。檍中学校の敷地内には弥生時代の一番早い時期の檍遺跡と呼称される弥生集落と、古墳時代の一番早い時期の前方後円墳である檍1号墳が残されている。

檍遺跡出土の弥生土器

それから、継続して、弥生時代から古墳時代にかけての遺跡や古墳も砂丘上に点々と残されている。とりわけ、近年のシーガイア周辺の道路整備などの開発事業で当該地域の様相が明らかになりつつあり、山崎下ノ原遺跡で確認された馬を埋葬した墓の存在などは、特に注目される成果の一つである。

第二節

高千穂の考古学

皇孫、乃ち天磐座を離ち、且天八重雲を排分けて、稜威の道別に道別きて、日向の襲の高千穂峯に天降ります。既にして皇孫の遊行す状は、槵日の二上の天浮橋より、浮渚在平處に立たして、膂宍の空國を、頓丘から國覓ぎ行去りて、吾田の長屋の笠狭碕に到ります。

（『日本書紀』巻第二　神代　下）

降臨神話の世界性

日向が舞台となる「天孫降臨」に先立って、出雲国における『記』では大国主神、『紀』では大己貴神を中心とする神話が登場する点には、注目しておく必要がある。「高天原神話」→「出雲神話」→「日向神話」の構図は、出雲と日向の対照的な位置付けを浮き彫りにする。そのことは、既に指摘したように、青銅器を巡って考古学の上からも鮮明に捉えることができるが、

出雲大社本殿復元模型（平安時代 10世紀）
（「出雲大社境内遺跡」大社町教育委員会発行）より

のみならず出雲の畿内王権の中での位置付けを知る上で、二〇〇〇年の出雲大社本殿に関する発掘調査の成果は重要である。

　規模を縮小して再建造営されたとされる十三世紀段階の本殿の柱ですら、直径三メートル以上の巨大なものであることが明らかになったのである。そのことは、それ以前の出雲大社が、伝承されるように東大寺を超える高層の木造建築として造営されていた可能性を示唆するものであった。このことは畿内王権にとって出雲が、精神世界の拠り所として無視できない地域であったことを示している。そして、こうした出雲に対して、日向は具体的な政治戦略上においても無視できない地域であったことが、出雲と日向の位置付けを異にすることになったと私は考えている。

　さて、天上界の高天原の神々による地上界の平定の基盤が整うと、直接的な統治者を地上界の葦原中国（あしはらのなかつくに）に送り込むことになる。その役割を任命されたのが瓊瓊杵尊（ににぎのみこと）であった。そして、天上界から地上界へという「降臨神話」は、朝鮮半島の国々の建国神話の中で重要な要素である卵から生まれるという卵生説話を除けば、基本的な部分で共通性を持っている。

朝鮮の檀君（タングン）神話、高句麗（コグリョ）・百済（ペクチェ）の鄒牟（チュム）王、または朱蒙（チュモン）、または東明王（トンミョンワン）、新羅（シルラ）の赫居世（ヒョッコセ）、加耶（カヤ）の首露（スロ）の神話、これらの建国の始祖はいずれも垂直方向での天上から降臨する「天上他界観」を基にする。こうした他界観の共通性とともに、「高千穂の槵觸峯（くしふるのたけ）」の「クシフル」や「高千穂の添山峯（そほりのやまのたけ）」の「ソホリ」など様々な呼称についても、『駕洛国記』の首露の降臨神話を引いて、慶尚南道の金海に伝承される「亀旨峰（クシ）」の「クシ」、さらに「ソホリ」は「ソウル」と同類であり、また『三国史記』に記される「所夫里（ソフリ）」に共通すると指摘されている。

これらのことを踏まえると、『古事記』に「此地（ここ）は韓国（からくに）に向ひ、笠沙（かささ）の御前（みさき）を眞来通（まきとほ）りて、朝日の直刺（ただす）国、夕日の日照る国なり。故（かれ）、此地は甚吉（いとよ）き地（ところ）」と記されるのも、なぜ「韓国」なのかの意味も自ずから知られるのである。ちなみに先の朱蒙は、少しばかり但し書きが必要であるが、二〇〇七年において韓国MBCのテレビドラマとして、韓国国内のみならず日本においても人気となった『朱蒙』のことである。

こうした降臨神話は、次節に述べる南方的要素としての水平方向での「海上他界観」と対照的に、北方的要素として指摘されている。「日本神話」には、大きくこの二つの要素が組み合わさっているとされるが、北方的要素は畿内王権の出自に関わるもので、次節の「日向神話」に見られる南方的要素とは由来を異にすることに留意する必要がある。

宮崎県には二つの「高千穂」がある。北の「高千穂」町（右＝真名井伝承も伝える高千穂）、南の高千穂峰（左）である

二つの「高千穂」

皇孫すなわち天津彦彦火瓊瓊杵尊（あまつひこひこほのににぎのみこと）、一般的には「ニニギノミコト」だけの方が馴染みやすいかも知れない。天上界から地上界へと、いよいよ物語は展開していく。それに従って、実際の歴史事実との境界が重なり始めていく。それだけに史実と神話の見極めが必要とされるが、物語としてはより厚みを持って躍動的になる部分でもあり、読み応えがある。

しかし、この天孫降臨の件（くだり）を考古学的に論証することを望むべきではない。これは、全くの神話的世界の物語であることを素直に楽しむことが必要である。「神話」は、単純な作り物のお話ではない。古代の人々の精神世界の表現として理解することが必要で、歴史事実である必要はない。高千穂の地名を残す南北の二地点の内、南の高千穂峰の頂上に鎮座する「天の逆鉾（あまのさかほこ）」も、近・現代のモニュメントであり、もとより古（いにしえ）からの遺物などではない。

では、こうした神話の舞台として登場する現実の土地に残された実際の人々の生活の様子、すなわち残された遺跡から確認できる実際とは、どのようなものであったろうか。そうした視点で、見直してみるのも面白いと思う。

言うまでもなく、宮崎県内には北と南に高千穂の地名が残されている。北は、切り立った峡谷と神楽で有名な県内第一位の観光地「高千穂」町、南は、変化に富んだ四季と温泉で知られる霧島連山の一角「高千穂」峰である。

北の高千穂の考古学

まず、北の高千穂の考古学的世界は、次のようである。古くからよく知られた代表的な遺跡として、縄文時代でも終わりに近い時期の陣内（じんない）遺跡がある。県内唯一の土偶を出土し、それに加えて石棒（せきぼう）、石刀（せきとう）、十字形石器など特色ある遺物の出土も知られている。しかし、それ以前の時期については余り明確ではなく、旧石器時代の石器の出土は知られているが、良好な状態での発掘調査例には未だ接していない。逆に、縄文時代以降となると特徴的で確実な人々の生活の痕跡が残されている。中でも、弥生時代では山間部に特有な土器の出土が知られ、大分県の大野川上中流域と土器文化圏を共有している。これは、山間部に特有な土器文化であり、平野部の様相とは大

北の高千穂の考古学　祖母・傾山系の北の大野川上・中流域、南の五ヶ瀬川上流域、そして阿蘇外輪山の東側に特徴的な山の文化が育まれた。［写真は宮崎県衛星画像（地球資源衛星１号）宮崎県発行より］

きく異なる。薄糸平遺跡を皮切りにその存在が明らかになった山間部特有の土器の分布は、現在では五ヶ瀬川流域の日之影町まで広がることが確認されている。

その後、古墳時代に入ると横穴墓に特徴が見られ、一転して熊本県との文化圏の共通性が強く印象づけられるようになる。横穴墓は、屍床(ししょう)と呼ばれる手の込んだ掘削が施され、いわば死者のための枕を作りつけたベッドが形作られている。こうした玄室の構造は、宮崎平野部の代表的な横穴墓である蓮ヶ池(はすがいけ)横穴墓群などでは、決して見ることの出来ない特色あるものである。つまりこの種の構造を持つ横穴墓は、熊本県に分布の中心を持つ旧国名をとり「肥後(ひご)型」と呼ばれるモデルの横穴墓なのである。斜面地にはこうした貴重な横穴墓が残されている。

南の高千穂の考古学　宮崎平野から内陸に入る山の間に盆地が連なる。霧島連山から錦江湾（姶良カルデラ）へと火山が連なる。この苛酷な土地に独自の文化が誕生した。
［写真は宮崎県衛星画像（地球資源衛星１号）宮崎県発行より］

南の高千穂の考古学

片や、南の高千穂は、鹿児島県と宮崎県の県境に位置する。周辺には盆地地形が展開し、その生活世界は山間部の世界である。ここでも弥生土器には分厚い器壁をもつ甕形（かめがた）土器の存在が知られている。ただし、分厚さという点ではよく似ていながら、県北高千穂地域で見られた分厚い土器とは、紋様の形状や器の全体的な形に違いが見られる点は興味を引かれる。これまた独特なのである。

そして、古墳時代に入ると、南九州独特の墓制である地下式横穴墓が主役として登場してくる。熊本県南部の人吉盆地から、鹿児島県北東部の大口盆地、宮崎県西部のえびの盆地、南西部の都城（みやこのじょう）盆地など、前方後円墳に代表される古墳文化とはひと味異なる地下式横穴墓の世界が広がっている。加えて、熊本県南部から鹿児島県北部に中心を持つ、これまた独特な墓制である地下式板石積石室墓が重なるように分布するのもこの地域である。地下式横穴墓と地下式板石積石室墓との間にも共通する要素と、異なる要素を指摘することが出来る。

こうして、この両地域は同じ「高千穂」という地名を冠し、微妙ではあるが山間部特有の共通の要素を示しながらも、逆に圧倒的に異なる地域の彩り(いろど)を見せつけるのである。歴史の面白さはこうしたところにもある。

いずれにしてもこの二つの高千穂が神話的雰囲気を現代に伝えるのは、歴史事実か否かではなく、先に述べたような境界領域の多様性や深みを感じさせるが故に、神話を包み込む豊かな歴史性をこれらの地域が有しているからだと思わずにいられない。

ちなみに、「膂宍(そしし)の空國(むなくに)」とは、荒れ果てた土地のこと。県北の高千穂は阿蘇山の火砕流で形成された峡谷や祖母(そぼ)・傾山(かたむきやま)の岩肌の荒々しい山肌がそうした形容に相応しいし、県南の高千穂は現在の錦江湾(きんこう)の姶良(あいら)カルデラの火砕流で形成されたシラス台地の不毛さを表現しているとも取れる。また、「笠狭碕」は、吾田(あた)という地名を冠し、この吾田は現在の鹿児島県薩摩半島西部に残された地名「阿多(あた)」に通じる古い土地の呼び方と理解されるが、実は江戸時代以前から笠狭碕に比定された場所が宮崎県内にもある。それが西都原古墳群の位置する台地である。

木花開耶姫の考古学

一書に曰はく、―〈略〉― 時に皇孫、因りて宮殿を立てて、是に遊息みます。後に海濱に遊幸して、一の美人を見す。皇孫問ひて曰はく、「汝は是誰が子ぞ」とのたまふ。對へて曰さく、「妾は是大山祇神の子。名は神吾田鹿葦津姫、亦の名は木花開耶姫」とまうす。因りて曰さく、「亦吾が姉磐長姫在り」とまうす。―〈略〉― 是に、大山祇神、乃ち二の女をして、百机飲食を持たしめて奉進る。時に皇孫、姉は醜しと謂して、御さずして罷けたまふ。妹は有國色として、引して幸しつ。則ち一夜に有身みぬ。故、磐長姫、大きに慙ぢて詛ひて曰はく、「假使天孫、妾を斥けたまはずして御さましかば、生めらむ兒は壽永くして、磐石の有如に常存らまし。今既に然らずして、唯弟をのみ獨見御せり。故。其の生むらむ兒は、必ず木の花の如に、移落ちなむ」といふ。

（『日本書紀』巻第二　神代下　第九段（一書第二））

永久の磐と儚い木花

この「海濱」とは、瓊瓊杵尊が到り着いた「吾田の長屋の笠狭碕」の浜のこと、そこで国の中で一番の美人と出逢う。事勝國勝長狭と名乗る国主は、国を瓊瓊杵尊に奉上（差し上げ）し、その木花開耶姫と出逢わせることになるため、最初の仲人とも言われる。木花開耶姫には、磐長姫という姉がいた。父親の大山祇神は喜んで、姉妹ともに嫁がせるべく、多くのお供え物を並べた「百机飲食」、いわば結納の品々を持たせて送りだす。

しかし、瓊瓊杵尊は好みがはっきりとしていたらしい。いや、後の木花開耶姫の懐妊に際してもそうであるが、相手を思いやる心に少しばかり欠けているところがあるように思う。だから、代わって控えめに言うが、余り美しくなかった姉の磐長姫を、相手が傷つくことには無神経に、親元へと帰してしまう。磐長姫は、その事を恥じて、自分を受け入れれば二人の子供は磐のように永遠の命を得ることができたのに、退けたために木の花、つまりは桜のように儚い命を持つことになるだろうと告げる。

『金枝編』で知られる文化人類学者ジェームズ・フレイザーは、インドネシアを中心とした東南アジアに伝わる死にまつわる神話を、「バナナ型神話」として定義した。それは、神が示す石とバナナの選択譚（物語）で、人間は食べられない石より食べられるバナナを選ぶ。不変の象徴である石を選べば永遠の命を得ることになるはずが、消滅するバナナを選んだことで人間は死を避けることができず短命となった、とするものである。木花開耶姫と磐長姫の話も、同じ類型に属する神話だと指摘されている。このほかにもマレー半島からインドネシア、そしてニューギニアと連なる海洋地域に伝わる神話と、「日本神話」の間で共通性が指摘されるものは少なくない。

また、木花開耶姫が三子をもうけることは次節で述べるが、産屋（うぶや）に火をつけて出産をするいわゆる「火中出産」は、東アジアをはじめ奄美大島でも出産に際して火を焚いて部屋を熱くする習俗に由来し、生活の中心である火と食を産屋とでは別にする習慣を基礎に誕生したものと考えられる。また、臍（へそ）の緒を切る時に「竹刀（あをひえ）」を用いるとの記述が見られるが、ツングース族や蒙古族が石の刀を用いるのに対して、竹の刀を用いる習慣も東南アジアからさらに東の太平洋上に延びる南洋諸島に共通するものである。

このように、神話のみならず習慣・習俗の面においても、海を介する東南アジアとの交流の証拠を挙げることができる。また、南九州の焼畑農耕と西南中国や東南アジア大陸部の焼畑文化との類似点も加えて、九州の南端に至る沖縄諸島などの南西諸島こそが、中国南部や東南アジアからの文化を南九州に伝える重要な役割を担った架け橋であったことを記憶しておきたい。

ただ、その詳細な経路であるが、東側に位置するフィリピンには同様の神話を追うことができない（「貝の道」はフィリピンを経由するのだが）ことが指摘されており、より西側の南シナ海を大陸沿いに北上し、中国の長江流域のいわゆる江南を経由して北上する海の道を想定した方がよいと思われる。

海を望む首長達

海は、世界を閉じるのではなく、世界を開いている。海を介する交流の考古学的実証は、象徴的には貝輪に求めることができる。弥生時代において貝輪は、九州の西側を経路として交易された。宮崎県内では、大萩遺跡の土壙墓から出土した一例だけ。検出時において既に破損が著しく素材は不明であるが、出土した五号土壙墓は、土壙直上に重弧文長頸壺形、器台形、高坏形、鉢形など多様な供献土器の集積が見られ、被葬者が特別の存在であったことが知られる。

それに対して、古墳時代に入ると大隅半島をはじめ、内陸部の都城盆地やえびの盆地の地下式横穴墓を中心として、多量の貝輪が出土するようになる。これらの貝輪は、奄美諸島以南を主な採取地とする巻貝のゴホウラ・イモガイ、種子島・屋久島以南を主な採取地とする笠貝のオオツタノハを素材とする。南の島々を数珠のように繋ぎながら、貝輪はもたらされたのだ。

狐塚（日南市）は、砂丘上に築造された横穴式石室の構造を持つ古墳である。墳丘は既に失われていたが、同時期の横穴式石室を持つ古墳の鬼の窟古墳と同じ円墳か、あるいは常心塚（西都市）と同じ方墳のいずれかと考えられる。横穴式石室は海に向かって開口しており、残された玄室は奥行き五・七メートル、幅二・七メートルを測る。明治・大正において既に古墳の内部には手が付けられていたが、一九八九年の本格的な発掘調査によって、須恵器・馬具類・銅碗・銅鈴・直刀・鉄鏃・耳環・玉類など豊富な副葬品が出土した。七世紀前半、海を支配した最終末の首長の最後の場所であった。

また、志布志湾に注ぐ福島川右岸に築造された福島古墳群（串間市）、湾に向けて突出した丘陵上には、横穴式石室を埋葬主体とする五世紀後半から六世紀初頭にかけてと見られる鬼ヶ城古墳群、湾を望むシラス台地の上に営まれた六世紀代の崩先地下式横穴墓群など、いずれもその立地は海を意識したものである。また崩先地下式横穴墓の立地する大地には銭亀塚が築造されており、その副葬品で注目されたのは百済の武寧王陵出土品と共通する複数の色のガラスを練り込んだ雁木玉の出土である。もちろん、玉璧や明刀銭の出土も、海を支配する人物の存在を認めることで初めて理解できる。

何故、笠狭碕が指向されたのか。この地を現在の薩摩半島野間岬に求めるのは、吾田と冠する以上素直に理解され、西都原古墳群周辺に求めるのは室町時代を中心に盛んに行われた考証の結果と考えた方がよい。むしろ、薩摩半島に求めるところに、東海岸に面する宮崎県から、西海岸に面する鹿児島県あるいは熊本県南部を横断する勢力の存在を意識したものとして、より一層重要な意味合いを帯びてくるのである。

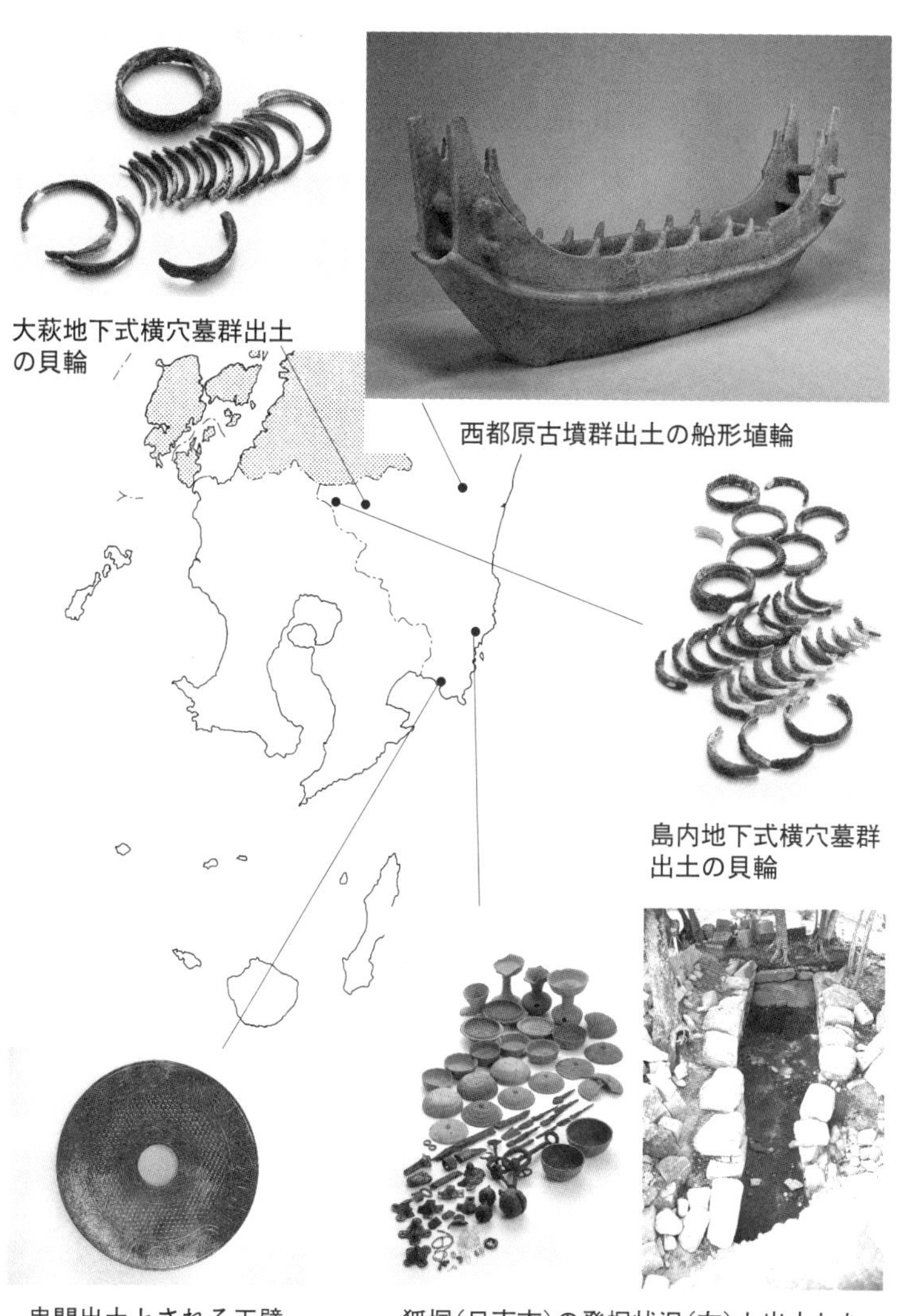

串間出土とされる玉璧

狐塚(日南市)の発掘状況(右)と出土した豊富な副葬品(左)

[宮崎県内各地の遺跡からは海洋にかかわる遺物が出土している]

西都原古墳群出土の重要文化財の舟形埴輪は、舟形の埴輪が確認された最初の出土例であるが、現在では四十例ほどが知られるまでになった。単材を刳り抜いた船底に舷側板などを組み合わせた準構造船は、外洋に漕ぎ出すことのできる舟として位置付けられ、当然のことながら、こうした舟によって南の島々や大陸との行き来が実際的に行われていたのだ。

「神の稲の穂」という名の古墳

なお、第三の「一書に曰はく」の中で、「時に神吾田鹿葦津姫、卜定田を以て、號けて狭名田と曰ふ。其の田の稲を以て、天甜酒を醸みて嘗す。又渟浪田の稲を用て、飯に爲きて嘗す。」との記述がある。この「卜定田」は、卜占によって神に供える稲を作る田を定めることを意味している。また、それを名付けて「狭名田」とし、「狭」は「神の稲」であるとする。その稲から醸造された「天甜酒」は、御神酒の始まり、また伝承では母乳代わりの甘酒ともされ、都萬神社はこうした伝承から日本酒発祥の地とされる。

ちなみに、西都原古墳群の盟主墳「男狭穂塚」・「女狭穂塚」の名称の起こりについて明確な資料は残されていないが、この記述に従えば「狭穂」は「神の稲の穂」との意味と解され、二本寄り添う松を「夫婦松」などと呼ぶように、対をなすように両古墳が存在することから、それらを男女に例え呼称するようになったものと考えている。

第四節

海幸と山幸の考古学

> 故、鹿葦津姫、忿り恨みまつりて、乃ち無戸室を作りて、其の内に入り居りて、誓ひて曰はく、「妾が所娠める、若し天孫の胤に非ずは、必當ず焼け滅びてむ。如し實に天孫の胤ならば、火も害ふこと能はじ」といふ。即ち火を放けて室を焼く。始めて起る烟の末より生り出づる兒を、火闌降命と號く。
>
> （『日本書紀』巻第二　神代下）

海幸・山幸の不幸な関係

天津彦彦火瓊瓊杵尊、すなわち「ニニギノミコト」が地上界へと降り来たって、日向の地で見初めたのが、山の神である大山祇神の娘の鹿葦津姫、すなわち木花開耶姫である。そしてコノハナサクヤヒメ、一夜にして妊娠する。ニニギノミコトは、一夜で妊娠したので自分の子ではない、

西都原古墳群のある西都市内には神話にちなんだ場所が多く「記紀の道」として整備されている（左）。右は都萬神社。ここは日本酒発祥の地とも伝えられる

と疑いを掛ける。

冒頭に引用したのは、嫌疑に対するコノハナサクヤヒメの応え。結果は、無事に三子が生まれる。第一子が火闌降命（ほのすそりのみこと）で隼人（はやと）の祖先、海幸である。第二子が彦火火出見尊（ひこほほでみのみこと）、山幸である。第三子が火明命（ほのあかりのみこと）、そして尾張連（をはりのむらじ）の祖先とされる。だが何故、第三子は唐突に一見日向とは関係のない尾張（おわり）、現在の愛知県域の首長の祖先とされるのか。ここには、古代史にかかわるターニングポイントがあるのだが、しかし、この疑問の謎解きは、第七節に持ち越すしかない。

二人が出逢った逢初川（あいそめがわ）、産屋（うぶや）とした無戸室、産湯（うぶゆ）をつかわせた子湯（こゆ）の池などの伝承地は、西都原古墳群の一角、都萬（つま）神社の西側に点在している。都萬神社に伝えられる日本酒発祥の地とする伝承も、母乳代わりに甘酒を与えた説話から来ている。

ともあれ、ここで有名な（昔は、有名だった）海幸・山

幸の神話のあらすじを復習しておこう。

兄弟は、お互いの猟（漁）具を交換し、海幸は山へ狩猟に、山幸は海へ魚釣りに。しかし、山幸は釣鉤を無くしてしまう。釣鉤と言っても、単なる釣りの道具ではない。古代においては、生活の根底を支えるものであるが故に、ある種の霊力を持つ神聖なものである。海幸は、山幸の失態を責める。

広大な海に見失った釣鉤、探しあぐねる山幸。しかし、ある日、山幸は海神に救われる。失った釣鉤が戻ると共に、娘の豊玉姫を娶ることになる。そして、釣鉤を返す時に「貧鉤」と呪文を唱えるように、また海水の満ち引きを自在に操ることの出来る潮溢瓊と潮涸瓊を与えられる。海幸は、山幸の操る海水に抵抗できず降伏する。

臣従の結果、山幸の孫である神武天皇は東征を果たす一方、海幸の子孫は隼人として仕えることとなる。狗の吠える真似をする宮廷の儀式は、隼人によって担われた。

隼人の楯

ところで一九六四（昭和三十九）年、奈良の平城宮の一角で驚くべき発見があった。それは、井戸の側板として用いられた墨書きの逆S字模様を持つ板材。『延喜式』の中にみえる「赤白土墨を以って鉤形を畫く」とする記述や寸法とも一致する。紛れもなくそれは「隼人楯」であった。

鉤形とは、海幸の漁具である釣り針を表す。

全部で十六枚相当の板材が出土したが、全体の形を留めるのは八枚。西都原考古博物館には、その八枚のレプリカが展示してある。何故、同じような楯を八枚もレプリカとして作成したのか。実は、今まで注目されてこなかったが、楯の裏に落書きが書かれていたからである。

井戸枠に転用されて役目を終えたわけであるから、それ以前、つまり平城宮を警護している時、隼人達が描いたと考えられる。刀子（今の小刀のようなもの）の先で引っ掻くように描いた鳥や魚の絵がある。「山」と「海」の文字が墨で書かれている。そう、「山」や「海」は勿論、鳥を山の幸、魚を海の幸とすれば、文字通り「山幸」「海幸」である。また一枚の楯には、十文字以上の文章も書かれている。半分以上は引っ掻くように書かれた文字が重なり判読できないが、「……者近水……」の文字が見受けられる。隼人舞は、海幸の水に溺れる様を表現した服属の舞と言われている。「水に近き者」と読み下せるこの文章は、そうしたことを表した一文のようにも読める。

奈良時代、同時代の中に隼人は生き、神話もリアルタイムで息づいていた。しかし、隼人楯が井戸枠に転用された時、もはや隼人の存在も・儀式も当初の意味を失ったのである。そのことは、一つの神話的世界が終わったことを意味していた。

「隼人楯」。西都原考古博物館にはそのレプリカが８枚展示されている

隼人楯の図柄とその裏の落書き（奈良国立文化財研究所学報 第34冊『平城宮発掘調査報告Ⅸ』奈良国立文化財研究所発行 1978より）

考古学から見た海幸・山幸

こうした海幸・山幸の神話パターンは、インドネシアなど世界的にも認められる。従って、人間の精神世界の普遍性を表すものとして、広く理解すべきである。とはいえ、山幸が海幸を打ち負かす構図は〈東征〉であり、そのまま神武東征に矛盾無く素直に繋がる。これを現実の地理的条件に置き換えれば、山幸＝山間・内陸部↓〈東征〉↓海幸＝海浜・平野部となる。では、これを考古学の成果と重ね合わせてみると、どうなるのだろうか。

弥生時代の後半の時期、九州の西側・熊本県を中心に宮崎県の平野部まで、〈西から東に〉広がるように分布する特徴的な土器がある。標識となった熊本県の遺跡名から免田（めんだ）式土器、弧線を幾重も描く紋様から重弧文（じゅうこもん）土器とも呼ばれる土器である。それに対して九州の東側では、日向灘沿岸や大隅半島の平野部を中心に、内陸部は都城盆地の一角まで、限定的に分布する二種類の土器がある。一つは、近畿地域に一つの中心を持つ鳥や建物、渦巻や列点など具象・抽象の紋様を描く絵画土器。今一つは、瀬戸内地域に特徴的なワイングラスのような器の形をして、器の口には凹線（おうせん）文、脚部には矢羽根（やばね）の形をした透かしが施される独特の土器。つまり、土器の情報からは、山幸＝重弧文土器↓〈東征〉↓海幸＝絵画土器、凹線文土器となる。

次に、古墳時代に入ると、ちょうど絵画土器と凹線文土器の分布圏を踏襲する範囲で、巨大さを誇る前方後円墳が登場する。しかし、むしろ分布圏を拡大できていないことに注意すべきであるが……。それに対して、南九州独自の在地墓制である地下式横穴墓は、えびの盆地や小林盆地を中心に、平野部は一ッ瀬川から小丸川流域を北限として、大隅半島までの範囲で分布する。つまり、墓制の情報からは、山幸＝地下式横穴墓→〈東征〉→海幸＝前方後円墳となる。

また、地下式横穴墓は遺体を納める空洞の部屋「玄室（げんしつ）」を持つことから、被葬人骨の残りが極めて良好である。古墳時代は、弥生時代に引き続き、在来の人々と渡来の人々とが混血を重ねながら、今に繋がる日本民族としての基層が形成された時代である。そうした人骨の特徴には明瞭な違いが認められ、内陸部の人骨は厳（いか）つい在来の縄文系、平野部の人骨は面長（おもなが）で渡来の大陸・半島系の形質を示している。つまり、形質人類学の情報からは、山幸＝縄文系・在来系人骨→〈東征〉→海幸＝弥生系・渡来系人骨となる。

ところが歴史の示すところは、畿内から南九州が制圧されたのである。全ては逆である。だから、「作り話」だろうか。でも何故、天孫降臨の地を南九州に求めたのか。畿内が南九州を制圧することの正当化、また畿内の勢力が南九州にまで及んだことを誇示するため、といった説明がある。しかし、北の蝦夷（えみし）に対する対応とも比べて、果たしてそれで充分な説明になっているのだろうか。

どのみち作り話ならば、長兄の美徳を発揮し、海幸が山幸を許し、逆に服属させたとする方が矛盾のない物語になるはずである。また、回りくどい創作をしなくとも、北の蝦夷や南の熊襲・隼人を制圧したことを後に述べるのであれば、始めから単刀直入に、畿内に〈大王＝天皇〉家が興り、西や東に勢力を拡大し、支配下に治めたとしてもいっこうに不都合はないではないか。あるいは、南九州に男の神が、東北に女の神が降臨し、共に東征・西征を果たし、列島の中程の畿内で出逢って〈大王＝天皇〉となったとした方が、よりロマンに満ちているし、ドラマチックに思える。

なのに南九州に天孫降臨の地を求めたのは、奈良時代の人々にとり、否定しようもないある事実があったからではないか。この謎解きは、次節に続く。

第五節

東征・西征の考古学

> 其の年の冬十月の丁巳の朔辛酉に、天皇、親ら諸の皇子・舟師を帥ゐて東を征ちたまふ。（『日本書紀』巻第三　神日本磐余彦天皇　神武天皇）
>
> 十一月に、日向国に到りて、行宮を起てて居します。是を高屋宮と謂す。
>
> 十二月の癸巳の朔丁酉に、熊襲を討たむことを議る。
>
> （『日本書紀』巻第七　大足彦忍代別天皇　景行天皇）

東征・西征のあらすじ

天孫降臨以降、東征に至る経緯を『古事記』で辿ってみる。

ニニギノミコトとコノハナサクヤヒメの間に生まれた山幸彦のホヲリは、海の神であるワタツミノカミの娘のトヨタマヒメとの間に子供をもうける。出産の姿を見ないようにと頼んだトヨタ

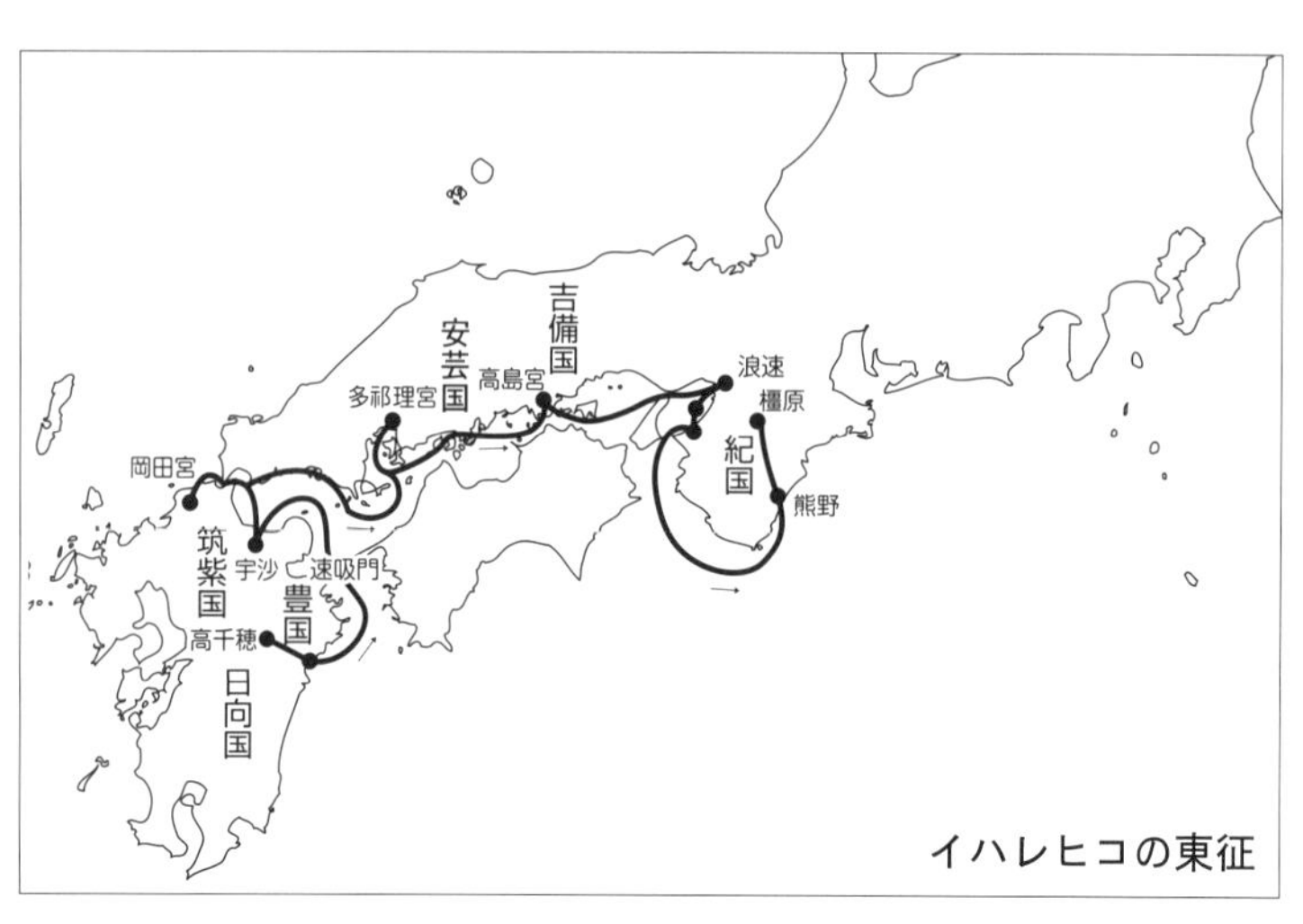

イハレヒコの東征

マヒメであったが、ホヲリはこっそり覗いてしまう。そこには、巨大なワニの姿があった。自分の姿を見られたトヨタマヒメは、恥じてワタツミの宮に帰る。

生まれた子は、ウガヤフキアエズ。その成長を案じ、トヨタマヒメは妹のタマヨリヒメに子育てを託す。やがて成長したウガヤフキアエズはタマヨリヒメを妻として、その間に四人の子供をもうける。最後に生まれたのがカムヤマトイハレヒコ、後の神武天皇である。

アイラツヒメを妻として高千穂の宮で国を統治していたが、カムヤマトイハレヒコ四十五歳の時、さらに広く天下を治めるため東に行くことを決意する。宇佐（大分県）・筑紫（福岡県）・安芸（広島県）・吉備（岡山県）を経て、長い歳月をかけ東に進み、近畿にたどり着き、数々の闘いを経て大和を平定し橿原の宮で即位する。

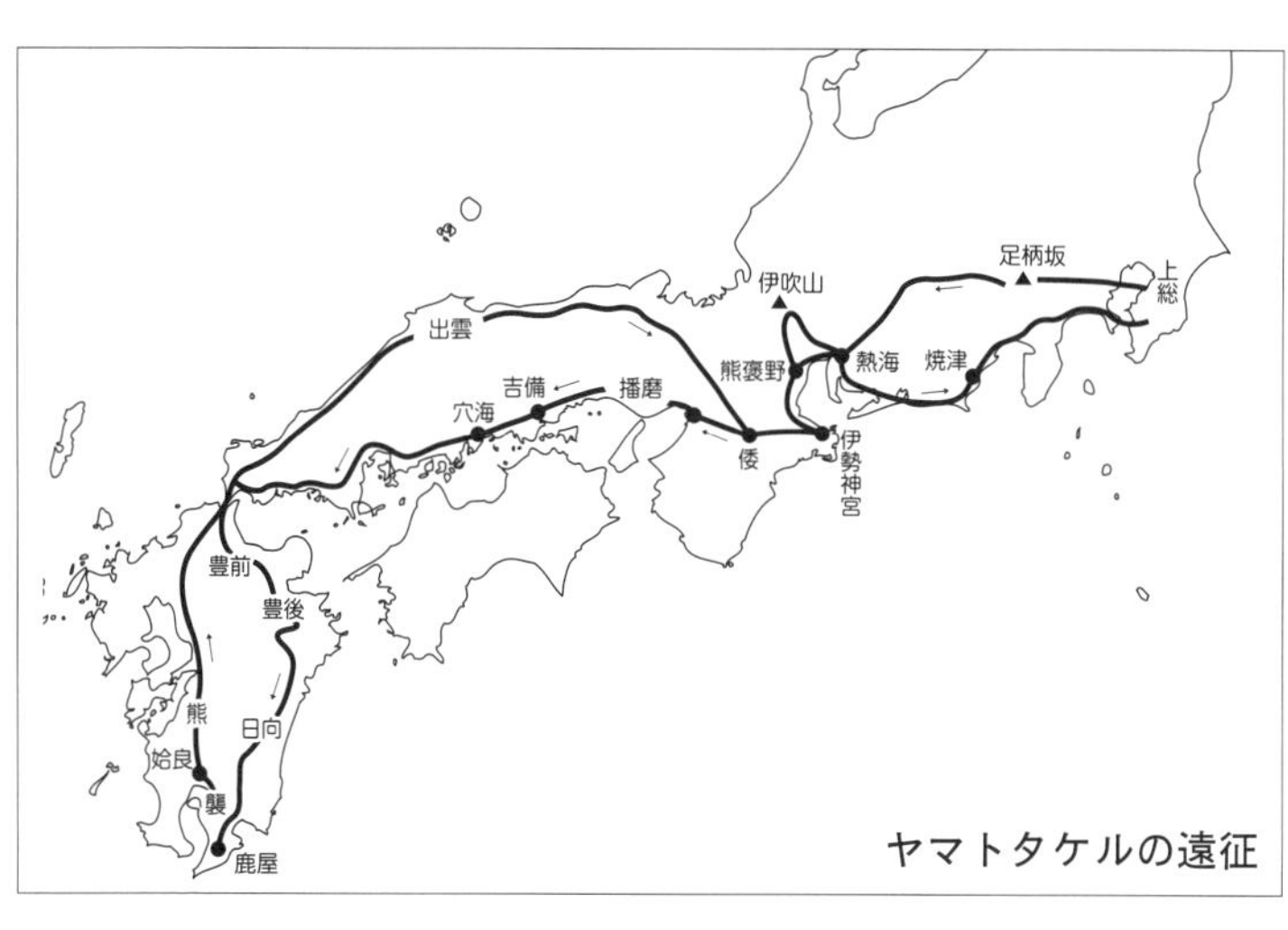

ヤマトタケルの遠征

一方、景行天皇の西征の内容については、『記・紀』では大きな違いがある。次に触れるように『古事記』では、ヤマトタケルが主役となっている。それに対して『日本書紀』では、景行天皇自ら西征に赴きクマソタケルを平定するほか、その後再び背いた熊襲を討ちにヤマトタケルが登場することや、その父子関係にも敵対的な要素は見られないことなどである。

『古事記』で辿ると以下のようである。オホタラシヒコオシロワケ、後の景行天皇は多くの妻を持ち、多くの皇子をもうける。その中でも継承者の資格を持つ一人ヲウスは、父オホタラシヒコから、父を女性関係で欺き、気まずくなって姿を見せない兄オホウスを諭すように言われたのを受けて、無惨にも切り刻んで殺し、そして平然としている。

その暴力的な性格を恐れたオホタラシヒコは、自らの下から遠ざけるために、西へと、九州のクマソタケル兄弟を討ち取るように命じる。宴に乗じてクマソタケル兄弟に近づいたヲウスは、隙を衝いて兄弟を殺害する。その猛々しさを称えて、クマソタケルはヤマトタケルの名を与えた。

このヤマトタケル、凱旋した後もやはりオホタラシヒコに疎んじられ、今度は東へと討伐に出発するように命じられる。蝦夷を討ったヤマトタケルであるが、最後は悲劇的な死を迎え、その魂は白鳥となって天に高く飛んでいったとされる。

神話の整理箱

『記・紀』の記述の上で、神武天皇と景行天皇は、ある意味背反する位置付けで登場する。神武天皇は、東へと〈東征〉に向かい、景行天皇は、その出発の地、西へと〈西征〉に向かった。この構図は、一体何であるのか。

しかし、これを読み解く前に、『記・紀』の位置付けについて、少し整理しておいた方がよさそうである。

『古事記』は、元明（げんめい）天皇の命により太安万侶（おおのやすまろ）が編纂（へんさん）して、七一二（和銅五）年に完成した。一方『日本書紀』は、天武（てんむ）天皇の命により編纂が始まり、四十年にも及ぶ歳月を掛け、七二〇（養老四）年に完成した。この二つの「日本最古の歴史書」が、異なる体裁によって編纂され、記述内容にも違いが見られることなどは、既に知られているところである。

まず、『記・紀』の始めから終わりまでを、一緒くたに読むことを止めたい。いずれも、各巻ごとに整理区分することが可能であり、そうすれば混乱・混同は防げるはずである。

はじめに確認しておきたいのは、当の『記・紀』の編纂者達はもとより、同時代を生きた奈良時代の人々も、神代の話は「神話」の話として、歴史の話は「事実」の話として明確に認識していた、と思う。『古事記』では「上つ巻」、『日本書紀』では「巻第一・第二」の「神代上・下」は、文字通り人間を超越した「神代（神世）」の話であると明記されている。従って、「神話」に実際の地名が記されていたとしても、富士山が霊峰として信仰の対象であるように、各地の山や川などが神々の場所として認識され、その地名が実在するだけであって、登場する神々の実在を示すものではない。神は、心の目が見るものである。

それなのに、何時の頃からか、後世の人間達が、「神話」の話を「事実」の話に強引に引き込んだところから、話はややこしくなった。何時の頃からか、については幾度かの段階がある。北畠親房の南北朝時代、本居宣長の江戸時代、そして明治から昭和にかけての時代。それぞれの時代背景の中で『記・紀』は読まれたが、何時もその時代の側にのみ込まれていったように思う。

次に整理したいのは、神武天皇以降である。これも、既に指摘されていることを素直に理解すれば、整理できる。すなわち、記述に内容性の乏しいいわゆる「欠史八代」と呼ばれる九代開化天皇までの実在性は強弁しない方がよい。ここは、神代から人代への転換を繋ぐ、橋渡しの役割を担っている部分として、そっと蔵まっておいて問題はない。

そして次は、十代崇神天皇からである。結論から言えば、実在性の論議はともかく、このあたりから歴史性は確実に背負っていると考えることが出来る。崇神天皇は、神武天皇と同じ「ハツクニシラス天皇」と讃えられている。「初めて国土を治めた天皇」のことを意味する。実質的に畿内王権の最初の「大王」は、この崇神天皇と考えられる。そうすれば、景行天皇までの記述は、三世紀後半から四世紀代、考古学では古墳時代前期とされる時期に、重ね合わせてよい。

ついでに、応神・仁徳天皇は四世紀末から五世紀前半、雄略天皇は五世紀後半、継体天皇は六世紀前半といった古墳時代に相当する。継体天皇の葬られた古墳が、宮内庁が継体陵として治定する太田茶臼山古墳（大阪府茨木市）ではなく、今城塚（大阪府高槻市）であると確実視されるようになったように、六世紀代の記述は確かさを増し、五世紀代の雄略天皇についても、江田船山古墳（熊本県和水町）や稲荷山古墳（埼玉県行田市）出土の象嵌を持つ刀剣に「ワカタケル」と記された大王であることが認められている。

こうして、少なくとも五世紀後半からの記述は、同時代性を強くするものであり、歴史叙述として今後も考古学情報によって裏付けされていくであろう。

景行天皇と日向

十三年の夏五月、悉に襲国を平けつ。因りて高屋宮に居しますこと、已に六年なり。是に、其の国に佳人有り。御刀媛と曰ふ。則ち召して妃としたまふ。豊国別皇子を生めり。是、日向国造の始祖なり。

一七年の春三月の戊戌の朔己酉に、子湯縣に幸して、丹裳小野に遊びたまふ。時に東を望して、左右に謂りて曰はく、「是の国は直く日の出づる方に向けり」とのたまふ。故、其の国を號けて日向と曰ふ。

一八年の春三月に、天皇、京に向さむとして、筑紫国を巡狩す。始めて夷守に到る。是の時に、石瀬河の辺に、人衆聚集へり。是に、天皇遥に望りて、左右に詔して曰はく、「其の集へるは何人ぞ。若し賊か」とのたまふ。乃ち兄夷守・弟夷守、二人を遣して観せたまふ。乃ち弟夷守、還り来て諮して曰さく、「諸県君泉媛、大御食を献らむとするに依りて、其の族合へり」とまうす。

さて、この『日本書紀』の一連の記述は、宮崎県の地名の実際に即したもので非常に興味深く読むことが出来る。まず、「襲国」を平定して、「御刀媛」を妃として生まれた「豊国別皇子」が日向国の「国造」の祖先となったとしている。そして、この国の名前を「日向」と名付けた。また、「石瀬河」の辺で「諸県君泉媛」から食事の献上を受けたとある。「国造」はヤマト王権の命を受けて地域を統括する官職を意味するが、名実共に「日向国」が誕生し、支配権が及んだことがこの記述で意図されている。

「襲国」は、ここでは現在の熊本県南部から以南の南九州全体を大きく指すと見てよい。また、「夷守」は、生駒高原の南西部にそびえる夷守岳やその山麓に地名を残し、「石瀬河」は、野尻町から小林市の東部を流れる大淀川上流で、現在では「岩瀬川」と書く。「子湯」は「児湯」、「諸県」は、現在では東諸県・西諸県・北諸県として郡名を残すが、首長としての「諸県君」は南九州一円の代表権者であった。

考古学から見た東征・西征

考古学は、遺構・遺物という〈もの〉の動きによって、社会・政治・経済・文化などの変遷と拡散の過程を復元する。湖水に投げられた石が、波紋を広げるように、起点となる〈もの〉が何処にあるのか、そこからどのように、その〈もの〉が直接・間接に周辺に及んでいったのか、そ

国宝金銅製馬具（左）と陶質土器（右）
国宝金銅製馬具は、半島の新羅から将来された。陶質土器も半島からもたらされたが、それが内陸部の都城盆地から出土していることに注目したい。諸県君の持つ半島との結びつき、平野部から内陸部への横断的な強い結びつきが、そこに現れているのだ。

の時間と空間の変化を「歴史」として読みとるのである。

前節で、〈東征〉をキーワードとして、考古学情報を見ていった。だが、そこに〈東征〉が成り立つかの結論は、保留したままであった。ここでは、畿内王権を象徴する前方後円墳と、在地の自立性を象徴する地下式横穴墓という対照的な遺構から見てみる。

前方後円墳の起点は、確かに畿内にある。それが南九州にも分布する。この関係を、南九州への畿内王権の影響（連合関係あるいは支配関係など、どのように読むかは研究者の間で見解が分かれる）

とみる。また、景行天皇の〈西征〉の歴史的背景と見る。しかし、逆の、南九州から畿内へという〈東征〉の方向での〈もの〉の動きを見出すことは、弥生時代に遡っても出来ない。

では、南九州の中ではどうであるのか。実は、前方後円墳の分布する範囲は、海岸線に近い平野部から、唯一内陸部は都城盆地の一角に顔を出すに過ぎない。従って、〈西征〉としても、畿内王権の実質的関与はこの地域を超えることはなかったと見ておいてよい。つまりは、景行天皇が内陸部を横断して行幸を行った背景をここに求めることは出来ない。

その岩瀬川の辺に集った人々は、紛れもなく地下式横穴墓の民であった。東から西へ（それは無意識の内に「中央から地方へ」あるいは「先進地から後進地へ」と同義語であった）といった伝播を、いわば検証なしの前提で考えていた今から三十年程前は、地下式横穴墓は平野部で発生し、それが次第に西に、内陸部へと広がっていったと理解されていた。しかし、今日の考古学の成果が示すところは、地下式横穴墓の発生は内陸部にあり、〈東〉に広がって行った、と理解した方がよい。〈東征〉とまで言わないとしても、西から東への経路は、確かなことと考えられるようになった。

とすれば、東に行くも、西に行くも、そのせめぎ合いの接点は、宮崎平野部から都城盆地にかけての地域に限定されるのである。こうした南九州の在り方は、「畿内」中心の歴史観では、理解しがたい部分であったと思う。南九州の地域勢力の構造が、畿内王権の構造と異なるものであることを認めない限りは。

以上をまとめよう。つまりは、畿内王権が集中的な権力構造を形成していったのに対して、南九州の地域勢力は諸県君という代表権者の下に、小地域集団が緩やかな連合体を形作っていたのである。この違いを、大きく例えれば、漢民族が中華思想のもと中央集権国家を形成した中国古代国家と、騎馬・遊牧民族が緩やかな連合体を基に巨大国家を形成したモンゴル帝国の違いとして想定してよい。また、列島弧の実体的に即せば、水田農耕の組織的な「集村型社会」と、畑作農耕の並列的な「散村型社会」の違いと言える。この二つは、東アジアの歴史を考える上でも、重要な要素である。

そして、この異なる二つの勢力の実在が、〈東征〉〈西征〉の実態なのである。

第六節

仁徳天皇と髪長媛の考古学

是歳、人有りて奏して曰さく、「日向国に孃子有り。名は髪長媛。即ち諸県君牛諸井が女なり。是、国色之秀者なり」とまうす。天皇、悦びて、心の裏に覓さむと欲す。

十三年の春三月に、天皇、専使を遣して、髪長媛を徴さしむ。

秋九月の中に、髪長媛、日向より至れり。便ち桑津邑に安置らしむ。爰に皇子大鷦鷯尊、髪長媛を見すに及りて、其の形の美麗に感でて、常に戀ぶ情有します。是に、天皇、大鷦鷯尊の髪長媛に感づるを知しめして配せむと欲す。

（『日本書紀』巻第十　誉田天皇　応神天皇）

男狭穂塚・女狭穂塚の解明

西都原古墳群（西都市）の中に男狭穂塚・女狭穂塚と呼ばれる巨大古墳がある。その巨大さ故

男狭穂塚（右）と女狭穂塚（左）の立体模型

に、天孫降臨の『記・紀』神話をもとに、瓊瓊杵尊と木花開耶姫の陵として、宮内庁により「陵墓参考地」に「治定」されている。「陵」は、天皇および三后（太皇太后・皇太后・皇后）の墓、その他の皇族の場合は「墓」として、総称して「陵墓」と呼称する。「参考地」とは、神話・伝承などから天皇家に関係する可能性があるとされたもので、陵墓関係については「指定」ではなく「治定」という習わしになっている。

女狭穂塚は、最も整った典型的な九州島最大の前方後円墳である。この事は九分九厘の考古学者の賛同を得ることが出来る。また、仲津山古墳（大阪府藤井寺市）と相似形であることも、若干の問題がないわけではないが、大方が認めるところである。

一方、男狭穂塚は謎に満ちた古墳であった。男狭穂塚と女狭穂塚が近接しすぎていることに加えて、特に、「前方部」と考える部分が不自然な形をしていることから、いろいろと憶測を呼んだ。中でも、もともと前方部の細くて長い「柄鏡形前方後円墳」の前方部が、女狭穂塚を造るために壊された、とする見方が有力な説として流布していた。しかし、詳細は省くが、そう考えたとしても不自然な点や理解できない点が多いのだ。

では、男狭穂塚の本来の姿は、どのようなものであったのか。宮崎県立西都原考古博物館では、二〇〇四（平成十六）年からレーダーや電気を用いた科学的な地中探査で、この両古墳の謎に迫ろうとする調査を行った。詳細は次の章でふれるが、自由な立ち入りが禁止されている陵墓や陵墓参考地を対象に、自治体に対してこの種の調査が許可されたのは全国初めてのことである。

男狭穂塚と女狭穂塚のどちらが先に造られたのか、両古墳の周壕の重なり・切り合いはどうなっているのかなど、幾つかの課題についてはまだ結論は出ていないが、男狭穂塚の本来の姿について、「前方部」が長さ四四メートル程の短い長方形で、それが「後円部」に取り付く、いわゆる帆立貝形古墳と呼ばれるものであることがはっきりした（242〜246頁参照）。前方後円墳とは、規格を異にする古墳であることから、前方部・後円部と呼ばずに「方壇部」・「円丘部」と呼んでおく。円丘部の直径は一三二メートルで、方壇部の長さの三倍に造られており、この比率は帆立貝形古墳の一つの規格として認められ、三重県女良塚などがこの規格に合致する。

こうして理解された両古墳の規模は、女狭穂塚が墳長一七六メートル、後円部径九六メートル、高さ一五メートル、一方男狭穂塚も墳長一七六メートル、円丘部径一三二メートル、高さ一九メートルとなる。墳形は異なっても、全体の長さが同じに造られているのは、偶然ではないであろう。そして、男狭穂塚は帆立貝形古墳では列島弧内最大規模、女狭穂塚は前方後円墳として九州最大規模、列島弧内では四十八位となる。もし男狭穂塚を、その円丘部の径で女狭穂塚と同じ規格の前方後円墳として造ったとすれば、墳長は約二四〇メートルとなり十六位規模になる計算である。

この両古墳の断片的に知られる埴輪片や陪塚（中心的な古墳に従うように造られた古墳）の169・170・171号墳出土の埴輪から判断すると、ともに築造された時期には大差はなく、五世紀前半、もっと詳しく言えば埴輪の研究者は五世紀の第二四半期の早い段階の時期だと見ている。

被葬者の謎を解く

さて、冒頭の『日本書紀』の引用に戻ろう。ここでの登場人物、「天皇」は「応神天皇」のこと、「大鷦鷯尊」がその息子で後の「仁徳天皇」である。つまり、父親の応神天皇がまず髪長媛のことを気に入って呼び寄せ、息子が見初めたのに応えて、その妃としたことが記されている。景行天皇以降、「大王」の妃として、日向の豪族の女性が度々登場するようになる。その中でも主役級の役割を担うのが「髪長媛」である。

実は、歴史学の分野では、この応神天皇と仁徳天皇は同一人物ではないかとの見方がある。一人分の出来事を、二人分に分けて叙述したのではないか、と見ているのである。確かに、その記述には重複する部分や錯綜した部分がある。ともあれ、「応神」は、途絶えようとした皇位を継承するため擁立された継体天皇がその五世の子孫とされるように、回帰の原点となる天皇、「仁徳」はその名が表すとおり「いつくしみ（仁）」と「善い行い（徳）」の「善政」を行った天皇として、同一人物か否かに関わらず、いずれも古代天皇の中でも頂点に立つ天皇として位置づけられている。

さて、髪長媛の扱いは、妃としては、皇后を含めても破格である。そして、その父親「諸県君牛諸井」の名は、妃となった女性の名は記されていても、外戚となった日向の豪族の男性名が記される例のない中、ほとんど唯一の人物として注目しなくてはならない。それ程の人物の痕跡が、宮崎県の考古学が対象とする史資料の中に見出せないはずがない。私は、そう考える。考古学には、古墳時代を考える上での大いなる仮説がある。まず、前方後円墳は、集団の長、すなわち首長あるいは王の墓である。そして、王である被葬者の生前の力の大きさに、墓である前方後円墳の大きさは比例する。従って、牛諸井ほどの人物、亡くなった後に葬られた古墳は巨大であるはずである。

仁徳天皇の崩御年は、『古事記』では四二七年、『日本書紀』では三九九年と違いがある。しかし、歴代天皇の崩御年を整理すると、詳細は省くが『古事記』に信頼が置けそうなのである。つまり、四二七年、五世紀の第二四半期の早い段階と言い換えることが出来る。仁徳の妃となった髪長媛、その父諸県君牛諸井も前後する時期に亡くなったはずである。

こうして、男狭穂塚・女狭穂塚の築造時期と諸県君牛諸井・髪長媛の死亡時期は重なりをみせる。しかし、髪長媛は畿内に嫁いだのでは、との疑問の声が聞こえる。では、畿内に葬られたのか。だが、この古墳時代の時期、興味ある研究成果がある。家族墓と考えられる一つの横穴墓に葬られた複数の人骨の親族関係を調べたところ、男性がまず葬られた場合、その男性と親子ないしは兄弟・兄妹などといった血縁関係のある人骨のみが認められたのである。そうなると、最初に葬られた男性にとって「奥さん」は、元もとは赤の他人であるはずであり、この赤の他人に相当する人物が見当たらないことになる。つまり、「奥さん」が一緒に葬られてないことが分かったのである。婚姻した女性に関して、里に帰って葬られる「帰葬」という習慣が一般的だったと考えられるのだ。

男狭穂塚には諸県君牛諸井、女狭穂塚には髪長媛が葬られている、と私は考える。そう理解した時、日向神話の誕生の謎や、古代国家の形成期に南九州の地域が果たした役割や、引いては日本という国のDNAの中に組み込まれた特質など、『記・紀』に記述されたいろいろなことが整合性を持って理解できるようになるのである。そして、その事は髪長媛の孫の代に、より鮮烈で・鮮明な形で明らかとなる。

第七節

雄略天皇と眉輪王の考古学

> 天皇、忿怒彌盛なり。乃ち復併せて、眉輪王を殺さむと欲すが為に、所由を案へ劾ひたまふ。眉輪王の曰さく、「臣、元より、天位を求ぐにあらず、唯父の仇を報ゆらくのみ」とまうす。―〈略〉―
>
> 天皇、許したまはずして、火を縦けて宅を燔きたまふ。是に、大臣と、黒彦皇子と眉輪王と、倶に燔き死されぬ。
>
> （『日本書紀』巻第十四　大泊瀬幼武天皇　雄略天皇）

日向系の断絶

引用したのは、日向系の人々が登場する出来事の中で、「天孫降臨」や「神武東征」のように宮崎県民の自尊心をくすぐるものではなく、結果的に日向系勢力が畿内王権の中枢で断絶する、どちらかと言えば負の心象を呼び起こすからであろうか、あまり話題として取り上げられてこなかった記述である。しかし、逆にとても重要な出来事であり、それが歴史事実であるがゆえに、日向神話や日向の地が重要な役割を与えられることになった要因の一つであると考えている。

仁徳天皇の妃である髪長媛は、大草香皇子（おほくさかのみこ）と幡梭皇女（はたびのひめみこ）をもうける。一方、仁徳には皇后として、葛城襲津彦の娘である磐之媛がいる。その間にもうけた履中・反正・允恭は兄弟で、継いで允恭の子である安康・雄略へと大王位が継承されるように男系が健在であったため、髪長媛の子の大草香皇子は継承レースからはいわば無縁な存在であった。しかし、その権勢がまだ有効であった子、髪長媛からは孫の眉輪王の時期にかけて、朝廷内部である事件が起きる。事の顛末は、次のようである。

発端は、安康が弟雄略の皇后として幡梭皇女を迎えたいと、大草香皇子に申し入れたこと。大草香皇子も慶び、その気持ちを表すため自分の持っていた押木珠縵（おしきのたまかづら）を安康の使者に託す。押木珠縵とは、朝鮮半島の新羅（シルラ）（現在の慶州（キョンジュ）が都）の古墳から出土するような、「出の字」形に枝分かれした立飾を持つ金や金銅で作られた冠、列島弧内からの出土は極めて限られている「お宝」である。日向出自の大草香皇子が所有していたという事は、まだ発見されていないが、宮崎県内の古墳にもたらされている可能性は高い。次に述べるように、使者が命と引き替えに手に入れたいと欲を出したほどだから、本場でも、慶州の皇南大塚から出土したような「国宝」級の金製冠で

金　冠

（慶州 皇南大塚北墳出土。冠の高さ27.5㎝）

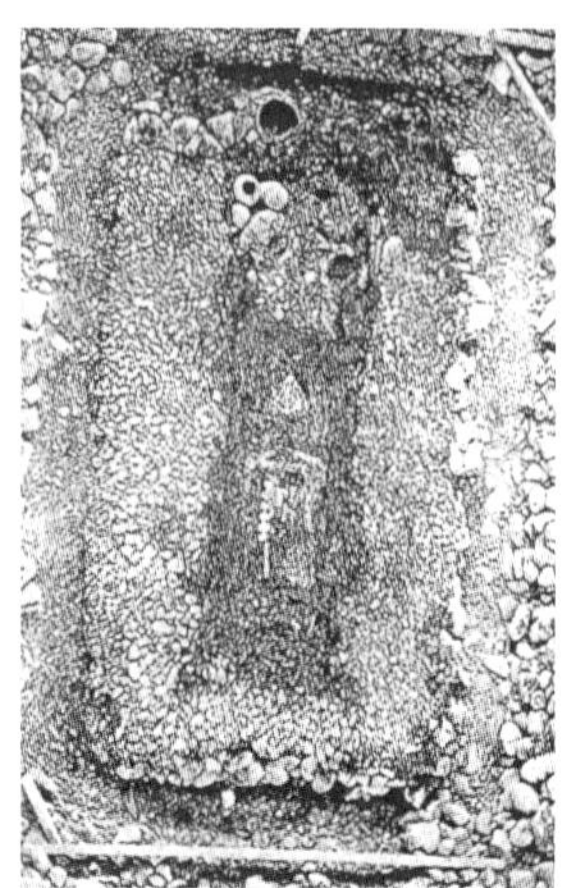

皇南大塚発掘状況

前面には「出」の字形の立飾、側面には枝分れした枝の形の立飾が勾玉類を蔓草(つるくさ)のように絡めて装飾される。立飾の形は、子孫の繁栄や勢力の伸長などを象徴した。大王も持ち得なかったこうした金冠を、日向系出身の大草香皇子が所有していたのだ。

あったと考えられる。

話は戻って、この使者、その冠に目が眩み、横領を企てた。大草香皇子が言を翻し、婚姻に反対した、と嘘の報告をしたのだ。安康、この讒言（ざんげん）に惑わされる。この時代怒らせると死である。大草香皇子を殺してしまうのである。だが、その後、使者の讒言と分かり寝覚めが悪かったのだろう、ある日、皇后を相手に後悔の言葉を漏らす。たまたま、床の下で遊んでいた眉輪王、その時七歳、父殺しの真犯人が今は親代わりとなっている安康本人であったことを知る。そして、安康は敵（かたき）として眉輪王に殺されることになるのである。

しかし、それで話は終わらない。安康は大王である。つまり、大王殺しは大罪である。怒った雄略は、討伐の兵をしたてる。そして、眉輪王の逃げ込んだ先が、引用の中の大臣、つまり葛城襲津彦の孫・円大臣（つぶらのおおおみ）のもとだった。雄略は、円大臣の屋敷ごと火を放ち、眉輪王と円大臣と共に殺すのである。焼け跡に見る骨は、どちらの骨とも見分けが付かないほどであったと記されている。これは葛城氏の円大臣一族の滅亡にも繋がった五世紀最大の事件である。

こうした出来事を通じて、終（つい）ぞ日向系の大王（天皇）が即位することはなかったし、これ以降日向から妃があがることもなくなったのである。しかし、讒言に基づいて犯した事は、大王家にとっていわば暗部となった。喉の奥に刺さった棘であり、これを取り去るためにも日向の地は重い位置付けを付与される事になったと考える。

変わる勢力圏と日向

ただし、大きな疑問と謎がある。安康を殺した後、眉輪王は「大王」位に就いたのではないか。王を「おおきみ」と読ませるのは眉輪王に限らないが、引用は、安康殺しは敵討ちであって、「たかみくら」＝「大王」位を求める野望のためではない、とわざわざ言い訳をしている件である。つまりは、裏返して言えば、安康を殺すことは大王位を手に入れることと同じであったと理解できる。大王殺しは大罪として眉輪王殺しは正当化されているが、しかし大王になっていたとすれば、雄略も大王殺しを犯したことになるのではないか。

ともあれ、眉輪王は、真っ先に葛城氏を頼って身を寄せた。それ程に、仁徳を挟んで外戚同士親密であった。しかし、諸県君と葛城氏の決定的な違いは、葛城氏が畿内にあり、畿内王権の基盤を身近に支えたのに対して、諸県君は遠隔の南九州にあり、最前線を守る役割であったことである。そして、そうした日向系の豪族が王権内部から衰退した後に登場する地方豪族こそ尾張連であった。特に継体天皇の妃となる尾張連草香の娘・目子媛を前後として、王権内部で力を発揮し始めるのである。

こうした歴史的転換が神話化される時、ニニギノミコトとコノハナサクヤヒメとの間に生まれた海幸・山幸、そして第三子の火明命は尾張連の祖先と位置づける必要があったのではない

百足塚の埴輪。外堤の上に復元配置した形象埴輪と石室の位置

だろうか。「第四節　海幸と山幸の考古学」の中で、唐突に日向の地とは無縁な尾張連の祖先とされる謎解きについて保留したが、これが尾張連の登場の意味である。

こうした『記・紀』の記述は、実は考古学の成果からも整合性を持って追認できる。西都原古墳群は、三世紀後半ないしは四世紀初頭には、首長墓としての前方後円墳の築造を開始した。そして、五世紀前半、列島最大規模の帆立貝形古墳である男狭穂塚、九州最大規模の前方後円墳である女狭穂塚を絶頂期として、五世紀後半には西都原の台地から前方後円墳の築造は断絶し、在地墓制である地下式横穴墓を主体とした円墳群が築造されるようになる。それに対して前方後円墳は、一ツ瀬川対岸の新田原古墳群に登場し、六世紀代の弥五郎塚などが築造されるのである。

この変化の意味するところは何か。中でも近年多くの人物・動物埴輪等が出土し注目された百足塚（むかでつか）は、最も象徴的な古墳である。六世紀前半の横穴式石室を埋葬施設とすると見られるが、継体天皇の真の陵墓であることが有力視されている今城塚（大阪府高槻市）で確認された埴輪祭式と強い共通性が認められるのである。

つまり、日向系の大王親族の断絶は、権勢を誇った西都原古墳群における前方後円墳の断絶に重なってくるし、百足塚の被葬者は、新たな畿内王権における継体天皇の登場と連動する形で興(おこ)ってくるのである。また、代わって大臣位に就いた「平群(へぐり)」氏は、列島の勢力再編を進め、各地に拠点を築いた。その地が、今では「平郡(へぐり)」という地名を西都原古墳群の南方に残し、その面影を伝えているのである。

日向の豪族は、大王家と婚姻関係で強く結ばれた一時期を持った。しかし、終ぞ日向系の大王は誕生しなかった。そのことは、東征した神武天皇の段階で、既に暗示的に示されているのだ。すなわち、神武天皇は、日向の地において吾平津媛(あひらつひめ)を娶り、その間に手研耳命(たぎしみみのみこと)をもうけるが、橿原で即位した後、出雲系の媛蹈韛五十鈴媛命(ひめたたらいすずひめのみこと)を皇后に迎え、神渟名川耳尊(かむぬなかはみみのみこと)などをもうける。そして決定的なことは、手研耳命は大王位を得んとする神渟名川耳尊、つまり綏靖(すいぜい)天皇に殺されるのである。この事も否定的な要素であるため、注目されてこなかったが、日向系の大王が誕生しないことは、こうして始めから示されているのである。

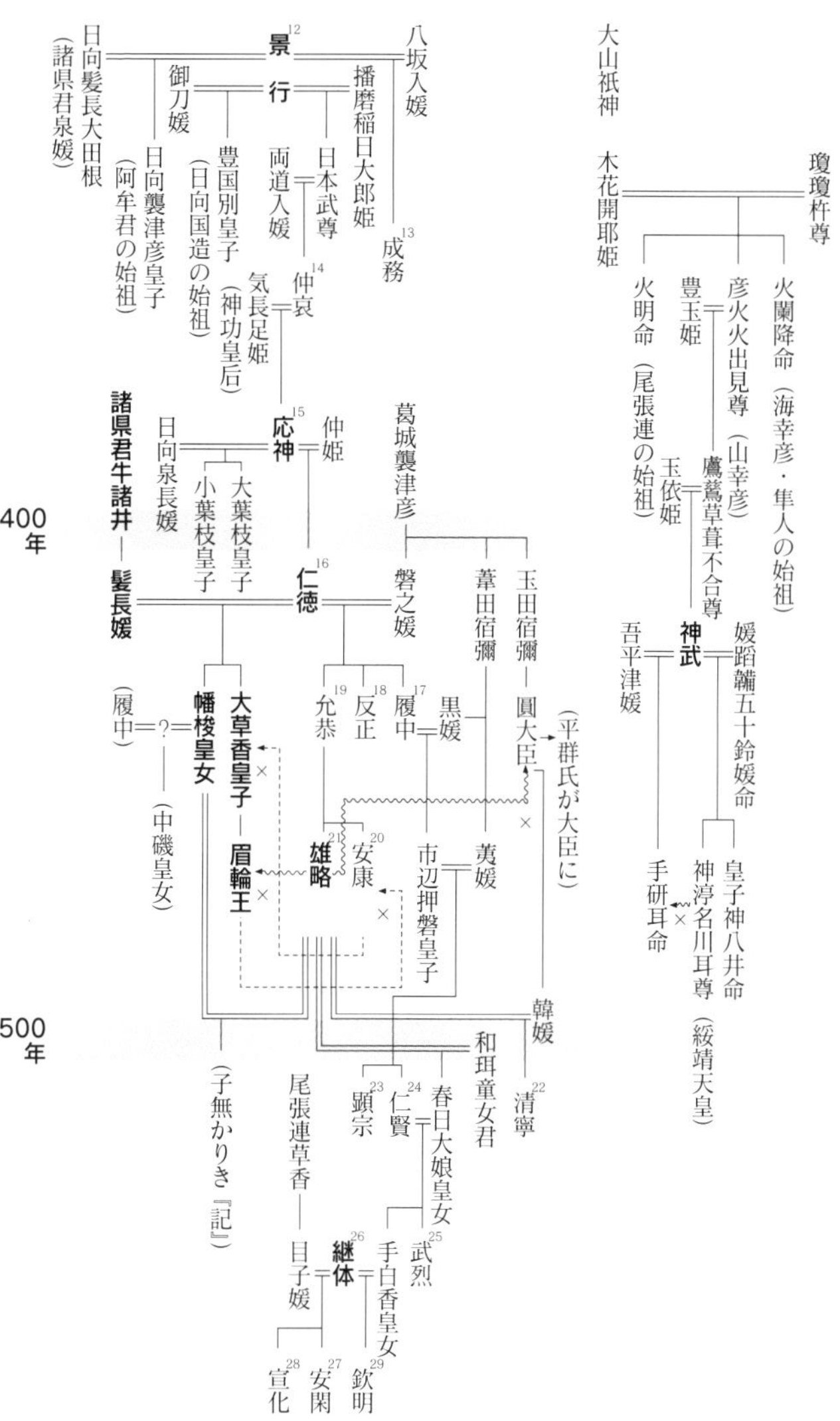

［『古事記』『日本書紀』にみえる大王との婚姻関係］

首長墓の変遷

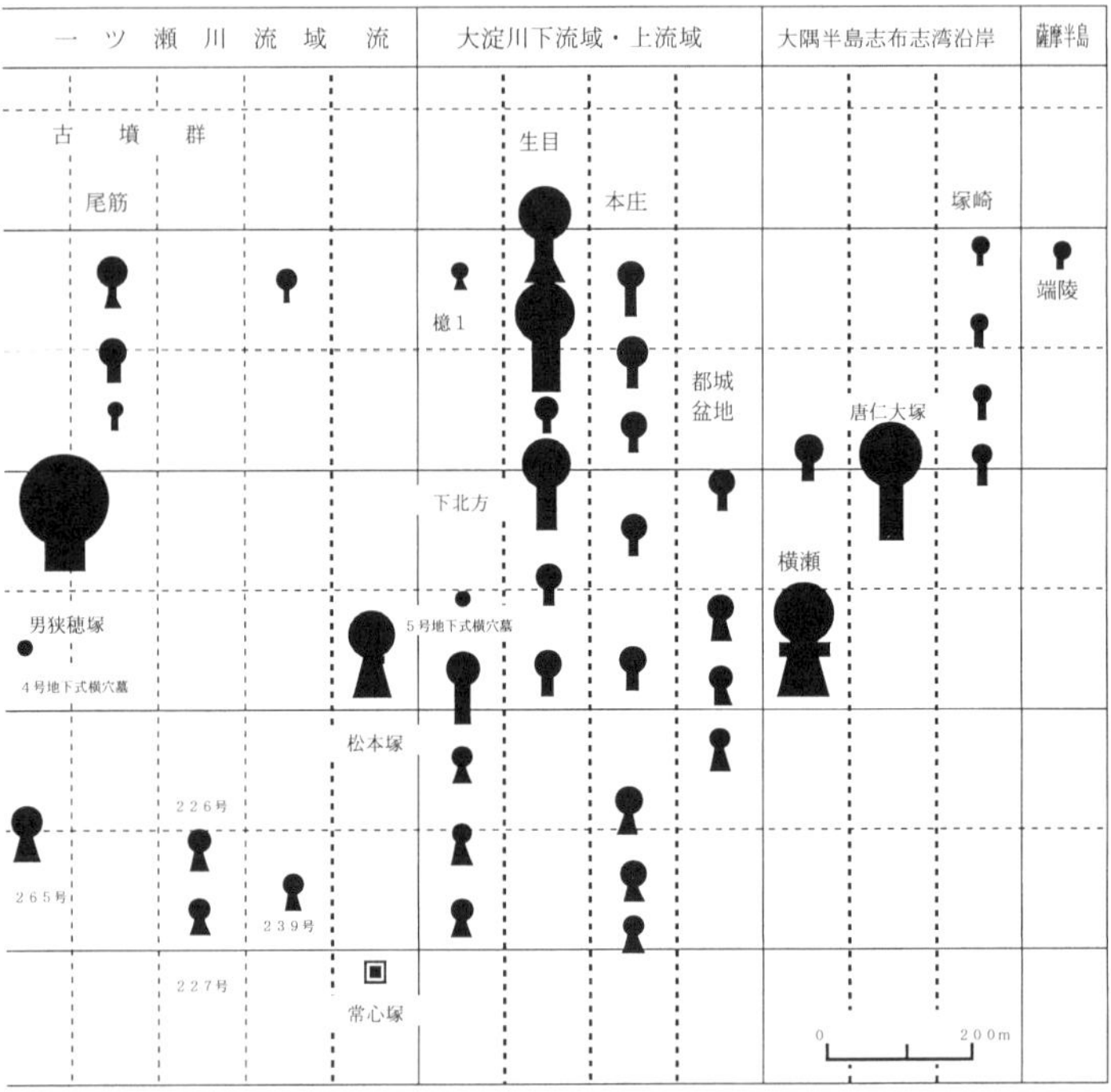

一ツ瀬川流域 流
大淀川下流域・上流域
大隅半島志布志湾沿岸
薩摩半島
古墳群
生目
尾筋
本庄
塚崎
端陵
檍1
都城盆地
唐仁大塚
下北方
横瀬
男狭穂塚
5号地下式横穴墓
4号地下式横穴墓
松本塚
226号
265号
239号
227号
常心塚
0 200m

こうした、古墳群の変遷と『記・紀』に記述された系図との間には、整合性を見て取ることが十分可能である。つまり、4世紀代に権勢を誇り得た生目古墳群の被葬者とは、景行天皇の時期には「諸県君泉媛」、続いて景行天皇と御刀媛との間に生まれた日向国造の始祖とされる豊国別皇子に対応する。そして、4世紀末には、応神天皇に嫁いだ日向泉長媛と、記録には登場しないがその父親の存在があったはずである。

5世紀前半の仁徳天皇と髪長媛、その父親の諸県君牛諸井と西都原古墳群の男狭穂塚・女狭穂塚との関係については、本文に詳細に述べたが、その後の西都原古墳群における前方後円墳の空白は、畿内王権における内紛に対応するし、6世紀代の畿内王権での継体天皇への大王権の継承と勢力再編に県内の古墳群の動静も対応している。

なお、大隅半島の巨大古墳である唐仁大塚や横瀬古墳の被葬者には、先の牛諸井の動勢に前後して、南方との直接的な窓口を掌握し、キャスティングボートを握ることでその存在を誇示した首長が想定される。

宮崎平野における

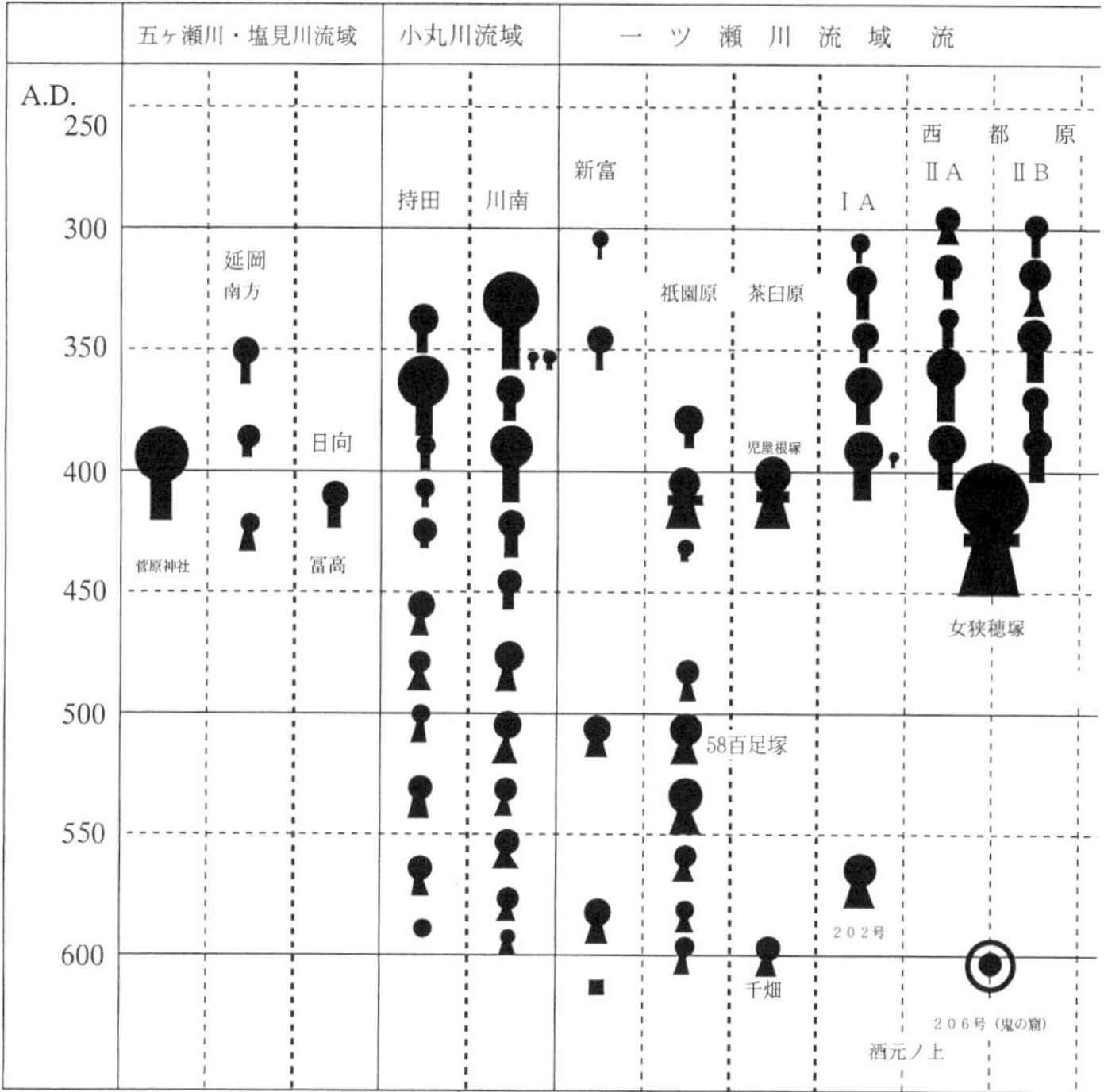

首長墓の変遷（上）と『記・紀』系図（前頁）について

ここに示した首長墓の変遷は、すべての古墳について年代が明確になっているわけではない。幸いにして年代を推定しうる資料のある幾つかの古墳を定点として、前後は相対的な墳形の変化で編年しており、これ自体が大きな仮説から成り立っている。従って、今後の調査研究の進展に伴い、精度を高めていくことになる。ただ、枠組みとして大きな齟齬が生じない程には、整理されてきたと考えている。その限りにおいて、地域の動態を現わす資料となりうる。

4世紀において規模の大きな前方後円墳が築造されたのは生目古墳群である。その後、西都原古墳群の男狭穂塚・女狭穂塚に盟主の位置が移り、しかし西都原古墳群では直後に継続する前方後円墳がなく、全体的に規模を縮小し一ッ瀬川対岸の新田原古墳群等に前方後円墳の築造が見られるようになる。

第八節

「諸県君」の考古学

「日本神話」を解く鍵

既に述べたように『記・紀』の記述は、①神代の時代　②神武天皇から欠史八代　③崇神天皇以降に分けて考える必要がある。

崇神天皇は、畿内王権内部の記憶において最初の大王であった。以後景行天皇までその実在性の根拠は弱いが、古墳時代の幕開けとなる三世紀半ばから四世紀初頭までの歴史を基礎としているとみられる。景行天皇の記述は、実在性は別にしても、多くの妃を受け入れその子供達を各地の国造の「始祖」としている点について、列島支配を模式的に位置付ける意味で説話性が高いと見なさざるを得ない。それを除けば、以後の記述内容も四世紀代から、五世紀代を経て、古墳時代の動向との整合性を指摘できる点から、十分に歴史資料として読み解かれるべきである。

この③の崇神天皇以降の歴史性を象徴化して、これに畿内王権の出自を示す北方的要素である

「天上他界観」による「天孫降臨神話」を柱に据え、さらに景行天皇以降の畿内王権と日向豪族との婚姻関係を基礎として受け入れられた南方的要素である「海上他界観」を加え構成されたものこそ、①の神代の時代の記述であった。②の神武天皇の件は、既に指摘したように日向系統の血筋についてあらかじめ終止符を打ち、以後八代は問うべき内容もない。

しかし、仔細はともかく、こうした構図についての指摘は、ことさら目新しいものではない。ただ、とりわけ一九八〇年代以降の考古学の蓄積の中から「神話と歴史の間」をさらに明瞭に解析し指摘できるようになったこと、またこれまであまり触れられてこなかった日向にとって不利な記述の中にこそ「日本神話」の構造を解く鍵があること、などを新たな視点として示しておきたい。

諸県君の実像

これまで見てきたように日向神話の記述は、五・六世紀の歴史的出来事を下敷きとして構図が取られていると考える。しかし、何故かくも日向の地が重要視されたのか。それは、北部九州が朝鮮半島とのパイプを持っていたのに対して、南九州日向は中国大陸とのパイプを持っていた。畿内王権が日向を無視できなかったのは、このためである。

こうしたことをさらに補強する意味で、これまで触れることが出来なかった、古代日向を考える上で最大の主役「諸県君」の存在そのものについて整理しておきたい。

一に云はく、日向の諸県君牛、朝廷に仕へて、年既に耆いて仕ふること能はず。仍りて到仕りて本土に退る。則ち己が女髪長媛を貢上る。始めて播磨に至る。時に天皇、淡路嶋に幸して、遊猟したまふ。是に、天皇、西を望すに、数十の麋鹿、海に浮きて来れり。便ち播磨の鹿子水門に入りぬ。天皇、左右に謂りて曰はく、「其、何なる麋鹿ぞ。巨海に泛びて多に来る」とのたまふ。爰に左右共に視て奇びて、則ち使を遣して察しむ。使者至りて見るに、皆人なり。唯角著ける鹿の皮を以て、衣服とせらくのみ。問ひて曰はく、「誰人ぞ」といふ。對へて曰さく、「諸県君牛、是年耆いて、到仕ると雖も、朝を忘るること得ず。故に、己が女髪長媛を以て貢上る」とまうす。天皇、悦びて、即ち喚して御船に従へまつらしむ。是を以て、時人、其の岸に著きし處を號けて、鹿子水門と曰ふ。凡そ水手を鹿子と曰ふこと、蓋し始めて是の時に起れりといふ。

（『日本書紀』巻第十　應神天皇　一三年九月）

これは、鹿子水門の地名起源説話として『日本書紀』に挿入された別伝であるが、諸県君の性格を知る上でまたとない記述である。

諸県君の牛あるいは牛諸井は、畿内王権に仕えていた。年老いて郷里に引退を迎えていた。その代わりに娘の髪長媛を天皇に嫁がせることを申し出た。こうした記述は、両者を主従的な関係として位置付けるが、既に律令体制下において組み込まれた段階の視点で記述されていることに留意する必要がある。

より重要なのは、「鹿子水門」は現在の兵庫県加古川周辺と考えられること、「水手」すなわち水夫として船を操ることに長けていたこと、同時に角の付いた鹿の皮を羽織った出で立ちから狩猟にも長けていたこと、それは「数十」を「十余り」とすることから十数名からなる集団であったことである。

つまり諸県君は、瀬戸内を経由して畿内に到る経路を、十数名から編成される軍団を率いて確保していたのだ。瀬戸内を通じる交流は、弥生時代の絵画土器や瀬戸内系土器によって明らかである。また、大規模な集団ではなく十数名からなる集団の規模は、古墳時代の地下式横穴墓社会の集団構成を想起させる。

島之内94－5地下式横穴墓の甲冑の副葬と人骨の検出状態
この被葬者は、諸県君に率いられた武人の一人であったに違いない。

狩猟を身近な生業とする内陸部に拠点を持ちなが

らも、海上の覇権も握ることができる首長こそ、「諸県君」となることができた人物であったのである。

そして、「諸県君」の継承は、景行天皇の件に登場する「諸県君泉媛」のように女性首長の存在も含み、歴代の地域王権の王に担われ、平入型地下式横穴墓と地下式板石積石室墓の共存するえびの盆地等の内陸部を本貫地としていた。さらに、西には熊本県南部から鹿児島県薩摩半島へと地下式板石積石室墓の小集団社会を鎖のように連ねて、東には宮崎平野部へと、また都城盆地を分岐点として南下しては大隅半島へと、妻入型地下式横穴墓を共通の要として前方後円墳社会との連繫を構築していた。この中でも、在地勢力を統括しつつ、畿内王権と結びつくための最重要拠点とされたのが一ツ瀬川流域であり、西都原古墳群や新田原古墳群の築造はその意味ではいわば必然であった。

闘う女性たち

何よりも、「陸軍」とともに「水軍」を操るところに、西と東の良港を窓口として南海と結びつく諸県君の性格が示されている。そして、その軍事集団の在り方も、東南アジアとの関係が想起される。それは殊に女性の軍団についてである。

女性による軍事集団は、タイでは「女丈夫（じょじょうふ）」と呼ばれる女軍に代表されるように、東南アジアに伝統的に見られると指摘される。こうした女軍が時代的に何処まで遡るかであるが、次のように『紀』に記される「女軍」の存在は、少なくとも古墳時代にまで遡ることが考えられてよい。

> 九月の甲子の朔戊辰に、天皇、彼の菟田の高倉山の巓に陟りて、域の中を瞻望りたまふ。時に、國見丘の上に即ち八十梟師有り。又女坂に女軍を置き、男坂に男軍を置く。墨坂に焃炭を置けり。其の女坂・男坂・墨坂の號は、此に由りて起れり。
>
> （『日本書紀』巻第三　神武天皇　即位前紀戊午年九月）

そして、この女軍の系譜は南九州において、八世紀初頭の隼人の抵抗の中で登場する次のような「薩摩比売」への系譜として捉えることができるのである。

> 六月庚辰、薩末比売・久売・波豆、衣評督衣君県、助督衣君弖自美、また、肝衝難波、肥人等を従へて、兵を持ちて覓国使刑部真木らを剽劫す。是に竺志惣領に勅して、犯に准へて決罰せしめたまふ。
>
> （『続日本紀』一　文武天皇　四年六月）

この薩末は薩摩と解され、比売は『古事記』や『続日本紀』での前後の用法から女性を示し、加えて久売や波豆も女性ではないかとの指摘もある。少なくともこの記述から、女性の軍団が兵＝

武器を帯びて立ち上がる姿を思い浮かべることができる。

地下式横穴墓の被葬者の性別と副葬品の在り方を詳細に精査すれば、決して例外的存在ではなく、女性に武器類が副葬される例を数多く挙げることができる。武器を帯びる女性像は、考古学の面からも支持されるのである。

ここに見てきた軍事的役割と南海の支配権こそ畿内王権が期待したものであった。その主役たる「諸県君」は、今も古代日向の歴史の謎を握りしめて、眠りについている。

3の章　歴史を大地に読む

第一節

測量図は語る

歴史は寡黙である。それは問いかけなければ決して自ら語ることはない。大地に刻まれた歴史を読み取り、物語を引き出す基礎的な手続き、それが測量調査である。今回（一九九七年）の陵墓参考地の自治体単独初の測量調査は、考古学史の一頁に確実に記録されるものとなった。

古墳時代を象徴するのは前方後円墳であり、その平面形や立面形は、単純に円形と方形を接続させたものではない。細かな計算の上に、古墳時代の土木技術の最高水準を傾けて、企画（規格）的に築造されたものである。築造企画が問題にされるのはこのためである。

また、それは政治性を反映するものと考えられている。古墳の形や大きさには階層上のランク付けがあり、前方後円墳が最上位、円墳・方墳は下位に位置し、その大きさは被葬者の勢力の大きさに比例する。そして、全国に約五百五十基ほど存在すると見られる帆立貝形古墳は、畿内政権により前方後円墳を造らせないという規制が行われた結果生み出され、首長墓に採用されるより陪塚（大型古墳に従属する形で築造された古墳）に多く採用される、と理解されていた。

九州最大、全国では四十八位の規模をもつ女狭穂塚（墳長一七六メートル）は、従来から石津丘古墳（伝履中天皇陵）や仲津山古墳（伝仲津媛陵）との築造企画の同一性が指摘されてきた。しかし、仲津山に比べて石津丘の方が、前方部の二・三段目の傾斜が緩やかであるなど新しい要素が認められることから、女狭穂塚は仲津山の築造企画を採用したものと見るのが妥当であろう。とすれば、女狭穂塚の築造時期には五世紀初頭（今から約一六〇〇年前）の年代を当てることができる。この仲津山タイプで築造された古墳は、県内では新田原古墳群の大久保塚、茶臼原古墳群の児屋根塚なども同一ではないかと指摘されている。この時期、畿内政権による列島内の再編と連動して日向の地域勢力の再編が行われたのであろう。

それに対して、男狭穂塚（墳長一五四メートル、246頁参照）は、全国最大の帆立貝形古墳である。帆立貝形古墳とするか造出付円墳とするかは、いずれも主円丘部に短い壇状部を造るタイプの古墳であることには変わりはないが、考古学界の中でも概念が定まっていないことや、また個別男狭穂塚について壇状部の端の認定など、まだ検討の余地が残されている（249頁参照）。

しかし、女狭穂塚より大規模な主円丘部（径一三一メートル）は、全国二十位代の佐紀石塚山古墳（伝成務天皇陵）など陵墓級の前方後円墳に匹敵する。このことは、西都原古墳群においては、帆立貝形古墳が、先に述べた従属的あるいはランク下の古墳ではなく、明らかに首長墓として採用されていることを意味している。

『古事記』『日本書紀』には大王家（後の天皇家）と地方豪族との婚姻関係として、古墳時代に絞り込めば、わずかに尾張・吉備・日向が登場するだけである。中でも、吉備と日向の豪族との婚姻関係についての伝承は濃密である。登場人物の実在性についての論議はおくとして、日向の豪族と大王家との親密な関係が、伝承の生まれる歴史的背景としてあったことは確かであろう。

同時に、吉備が反乱伝承を伴うのと同じように、親密な関係でありながら、背反するように在地勢力との政治軋轢が存在することなど考慮する必要がある。つまり、女狭穂塚・男狭穂塚以降、盟主墳としての前方後円墳の築造は中断され、在地墓制である地下式横穴墓が四号地下式横穴墓に代表されるように首長クラスの墓として存在する点は重要である。

これまで、帆立貝形古墳として最大と言われた乙女山古墳（墳長一三〇メートル）の属する馬見古墳群は、帆立貝形古墳の占める割合が高い特色ある古墳群として知られている。注目されるのは、この古墳群が大王家と婚姻関係を持つ畿内の有力豪族葛城氏に係わる古墳群と見られている点である。葛城氏の置かれた立場やその存在は、ことに男狭穂塚の成立を考える上で参考とすべきかもしれない。

測量結果は、結論ではない。まだ検討すべき課題は多い。しかし、問うべき謎の輪郭ははっきりとしてきたことは間違いない。なによりも各方面から論議がなされ、西都原古墳群の研究の深化と共に同古墳群への関心が更に高まることを期待したい。

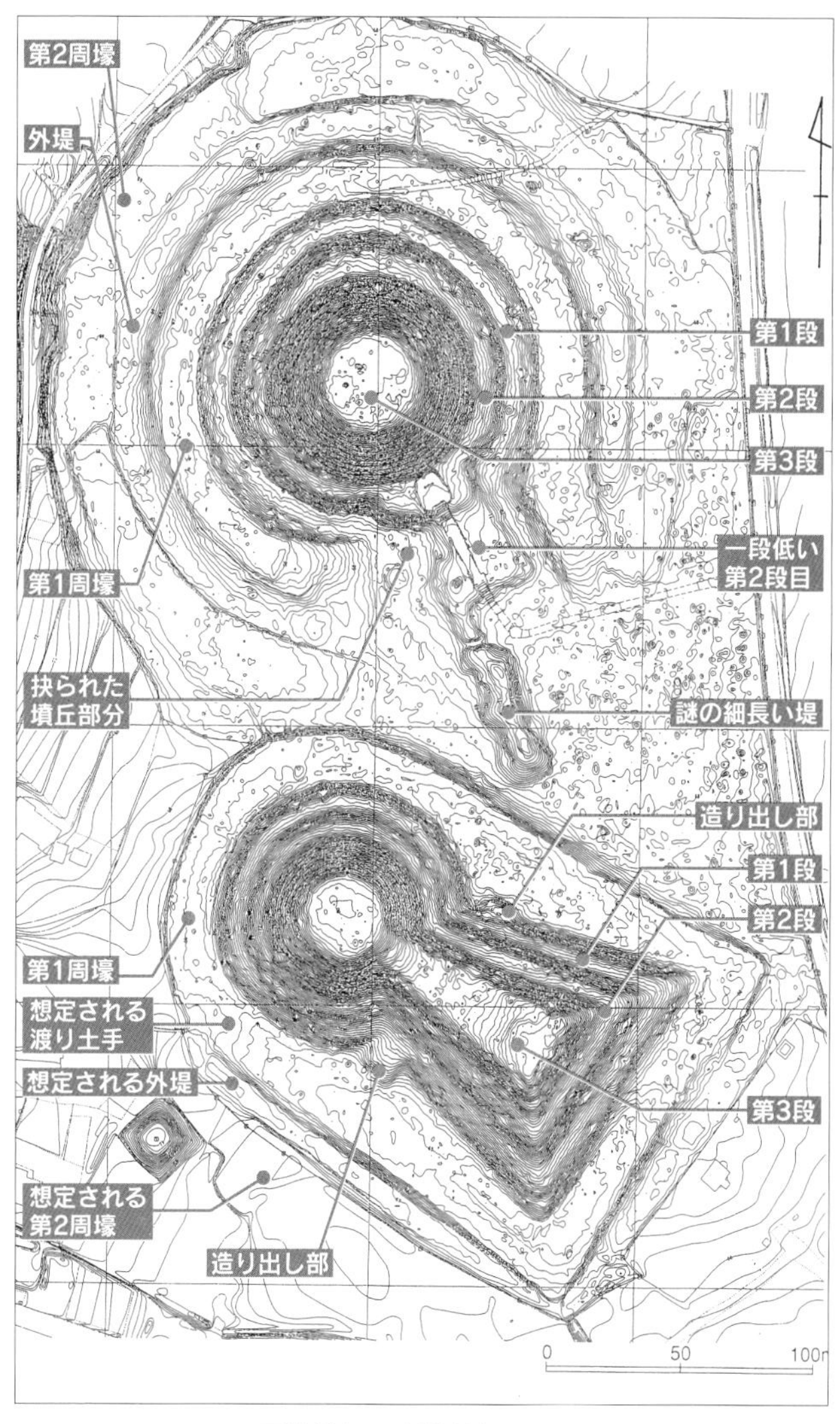

男狭穂塚・女狭穂塚測量図

第二節

最先端技術で読み解く――謎解きの輪郭

男狭穂塚は、とても不思議な形をしている。円丘の部分は、ほぼ正円、東半分の壕や堤の形ははっきりしている。しかし、前方後円墳なら前方部に当たる四角い部分が、何とも心もとない形。整った前方後円墳の女狭穂塚と比べれば、その違いは一目瞭然である。とはいえ、しっかりした台形状の前方部ではなく、もともとは柄鏡の柄のように細長い形。それが女狭穂塚を造るために壊された、ともっぱら古くからの研究者は考えていた。

しかし、釈然としない疑問が数々残されていた。壊されたはずなのに、女狭穂塚に近い方に細長い堤が残されているのは？　両古墳の壕は重なってしまうのでは？　などなど。つまり、相互に独立した古墳として造られたのに、築造の順序や形に謎を残すに至ったのは何故か。

こうした謎のため、この日本列島南端の両巨大古墳は、考古学上の正しい評価を受けてこなかったと言ってもよい。それは、日本古代史の理解のためにも不幸なことであった。

発掘調査は、謎解明のための一方法である。しかし、単に掘れば分かるものではない。発掘は破壊である、とまず教えられる。そこで、地下の様子を、直接掘らないで確認する良い方法があった。宮内庁にお願いをした結果、地中探査という最新技術の蓄積に永い間力を入れてきたことも評価され、全国で初めて陵墓参考地を対象に地中探査を実施することになった。採用したのは、地中レーダー探査。これに電気探査を加えて検証した。前者は電波を、後者は電気を地中に流して、地中を通過する、あるいは反射する反応をとらえるもの。人工的に手が加わった場所や、異質な対象物があるとそこで反応が変化する。

二〇〇四（平成十六）年から三カ年で実施した結果、謎解きの輪郭がはっきりしてきた。

①男狭穂塚の形は、帆立貝のように四角い部分（方壇部）が小さな古墳であること。根石と呼んでいる人頭大の石列と思われる反射が確認できた。どうやら細長い堤は、おそらく江戸時代以前に手が加えられたもので、これが謎を一層深めていた。

②男狭穂塚の壕は、方壇部の前面まで、つまり一周する形では巡らないこと。これは、壕が埋もれているならば異なる反応が見られるはずなのに、まわりと同じ自然の土の反応であった。

③そのことは、女狭穂塚の二重目の壕も男狭穂塚側までは巡らず171号墳（方墳）に接する側にだけに造られていたことを意味する。

④その171号墳から女狭穂塚の後円部にかけて、通路となる「渡り土手」があったこと。これは、現状では不明瞭であるが、通路状の反応を捉えた。

⑤左右非対称に見える「造り出し部」は、もともと非対称であったこと。これも、やはり根石の反応。

⑥またこの反応から、土に埋もれている分、前後左右二メートルほど小さく見えること。両古墳ともに墳長は一七六メートル程度となるが、本来は数メートル大きい。

男狭穂塚は柄鏡形前方後円墳か

男狭穂塚は、従来、前方部の細長い「柄鏡形」の前方後円墳が想定された。例えば西都原古墳群の90号墳などのように、南九州にはこの形式の前方後円墳が多いので、蓋然性の強い想定ではある。ただし、そうすると墳長はおおよそ二二〇メートル規模となり、全国二十三位の巨大古墳となる。それはそれで、南九州におけるそうした存在は、古墳時代全体を考える上での大問題であることには変わりはない。

謎の細長い堤

ただ、このような柄鏡形前方後円墳が、女狭穂塚の築造に際し破壊されたとするには、幾つかの釈然としない点が残る。その一つ、謎の細長い堤は、女狭穂塚に近い方に残されている。邪魔になるとすれば、むしろ逆になるのではないのだろうか。

その二つ、西側の墳丘の第二段目が抉ら(えぐ)れ、その第二段は円丘部に接する段から、さらに一段低い第二段目を留めているが、この複雑な形状は女狭穂塚との関係だけでは説明できない。

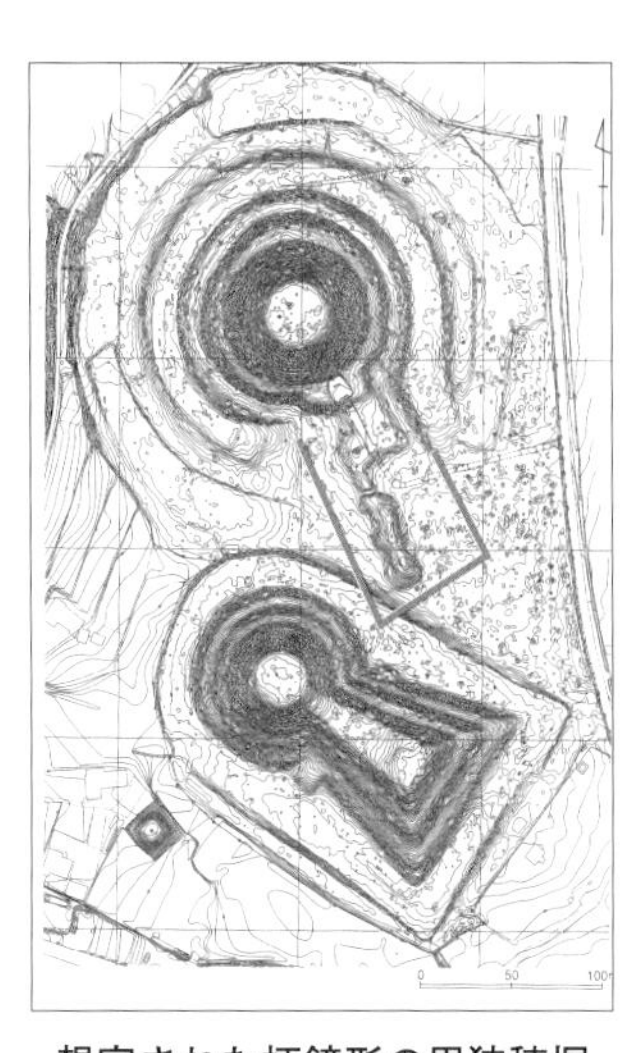

想定された柄鏡形の男狭穂塚（赤線部分）

謎が解けた細長い堤

この謎の細長い堤については、これまでの伝承的な話や噂話程度のレベルで後世の構築物だと言われることがあったが、宮内庁の福尾正彦さんがようやく明らかにしてくれた。

それによると一九六〇（昭和三十五）年に、当時東京国立博物館考古課原史室長であった三木文雄さんが宮内庁の依頼で、一段低くなった第二段目や謎の細長い堤に試掘が入れられている。その結果は、古墳の墳丘とは認められないという結果であったという。さらに、伝承という但し書き付きではあるが、伊東氏に固有な「四半的」の的場の堤として、伊東氏が都於郡城に居城した十六世紀代に造成された可能性の噂も指摘している。

まず、これらのことから謎の細長い堤は、後世の造成の結果として、前方部の細長い柄鏡形前方後円墳との説は消去してもよい。

女狭穂塚の第二周壕

女狭穂塚は、第一周壕を巡らせた端正な前方後円墳である。ただ、南側の低い堤状の高まりは

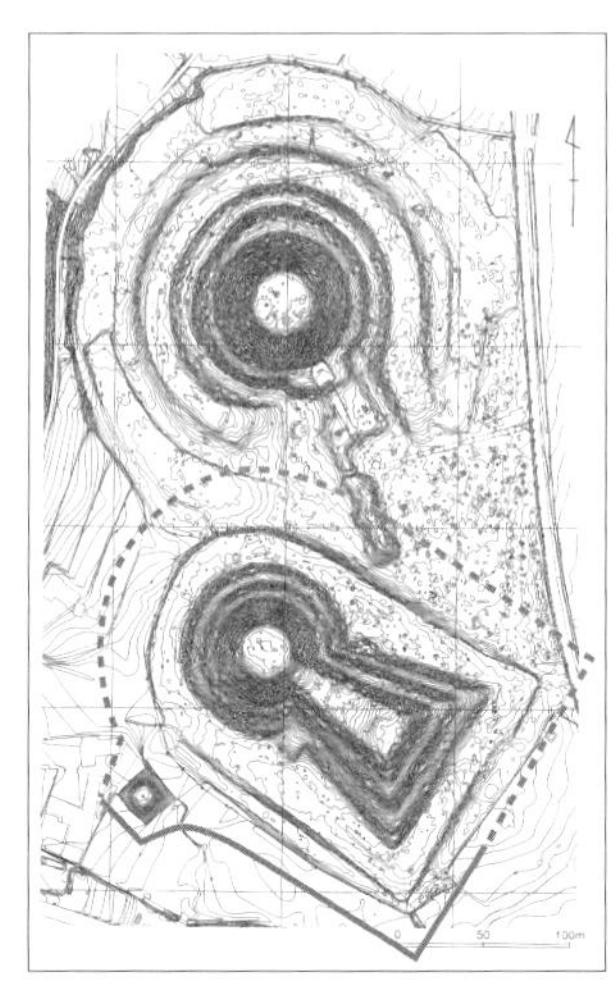

周壕の赤線部分は掘られ、破線部分は掘られなかった

外堤の存在を想定させるし、西都原古墳群唯一の方墳である171号墳との間に第二周壕が存在することが試掘調査で確認された。

169・170・171号墳は、男狭穂塚・女狭穂塚に隣接して存在する。こうして大きな古墳に陪従するように築かれた古墳を陪塚と呼ぶが、169・170号墳が円墳としても巨大で、独立的に築造されているのに対して、171号墳はむしろ女狭穂塚の付属的なあるいはその一角を構成するような位置関係にあるが、第二周壕によって女狭穂塚に取り込まれるように築造されていることが明確になった。

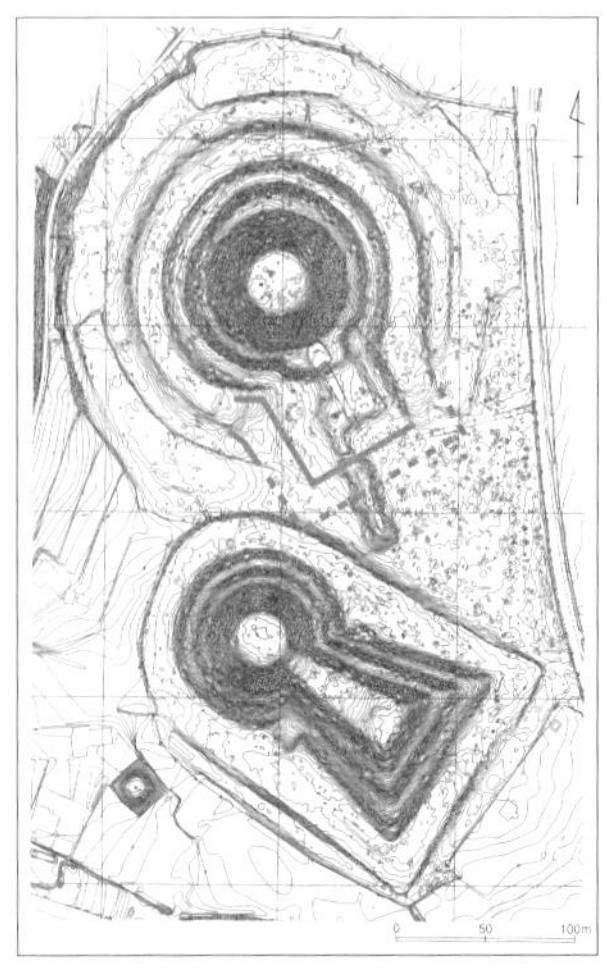

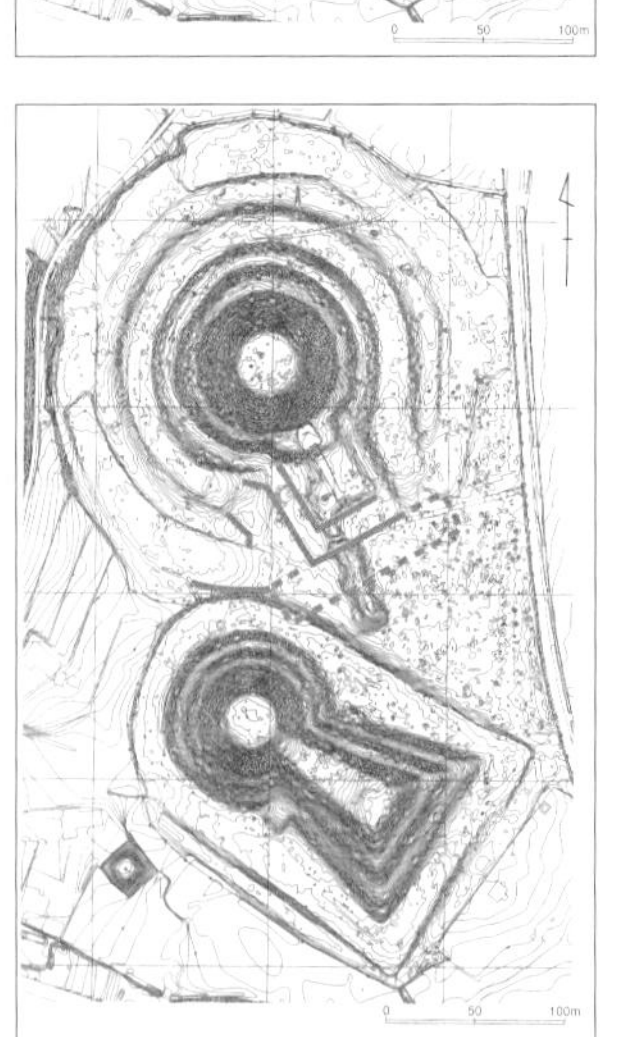

方壇部の前面に周壕（破線）を掘れば女狭穂塚の第１周壕を破壊することになる

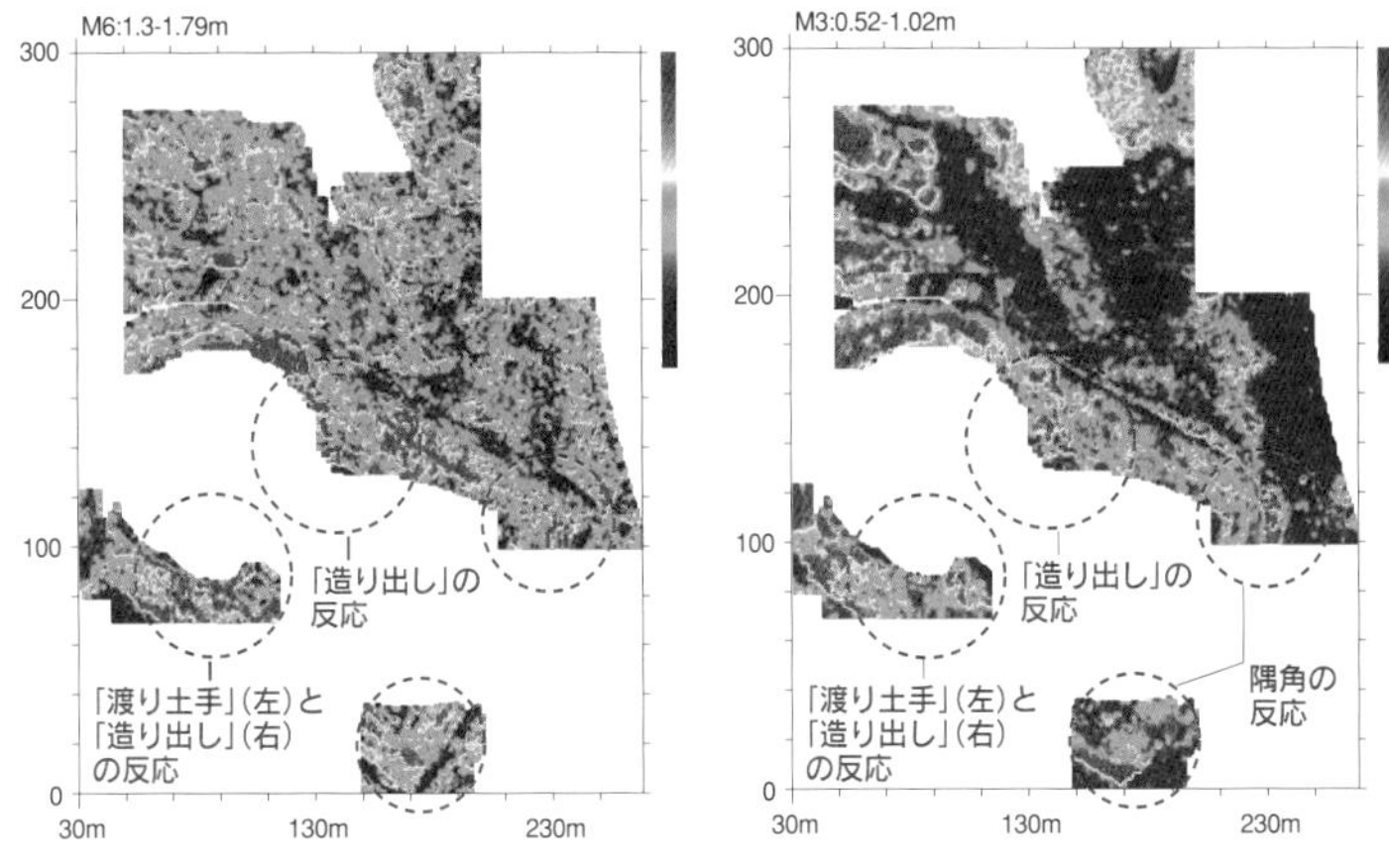

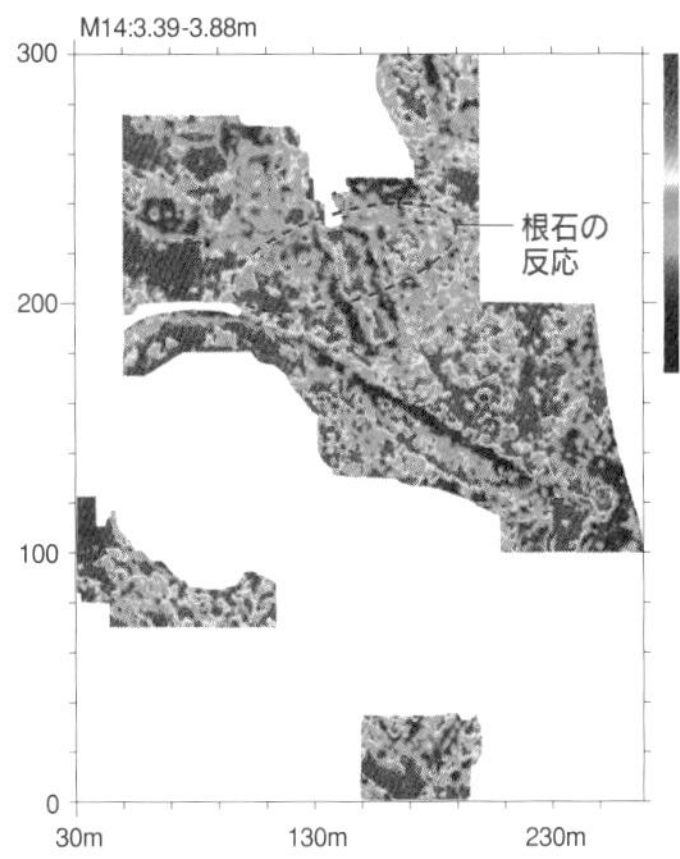

2006年度　レーダー探査の結果（200MHz）タイムスライス
（『西都原古墳群 男狭穂塚女狭穂塚陵墓参考地地中探査事業報告書』
宮崎県教育委員会、2007より）

西都原46号墳と根石

171号墳を取り囲む第二周壕は、全周すれば男狭穂塚を干渉することになる。それを避けるためには南半分で第二周壕を留めることとしかない。

帆立貝形古墳の確定

男狭穂塚は、「前方部」の短い「帆立貝形古墳」であることが明らかになった。前方後円墳の範疇とは異にするので、「前方部」を「方壇部」、「後円部」を「円丘部」と呼ぶことにする。

墳丘を覆う葺石は、西都原古墳群の場合は、掌大よりやや大きめの石を墳丘に突き刺すように積み上げるのが特徴である。全国的に見ても繊細な部類に属する。その葺石の最下段は、人頭大の大きな石を配列する。それを根石と呼ぶが、方壇部を確定した根拠は、石の大きさのお陰で、レーダーに列点状の強い反応として現れることになる。

男狭穂塚・女狭穂塚の規格と規模は?

帆立貝形古墳の多様性

帆立貝形古墳と言っても多様な形状を持っている。測量調査の結果、墳長を一五四メートルとしたのは方壇部前面に周壕が巡ると想定した場合の、現状での一段低い第二段目の前端部までの長さであった。それは比較的方壇部の短い形式で、それまで列島最大とされた墳長一三〇メート

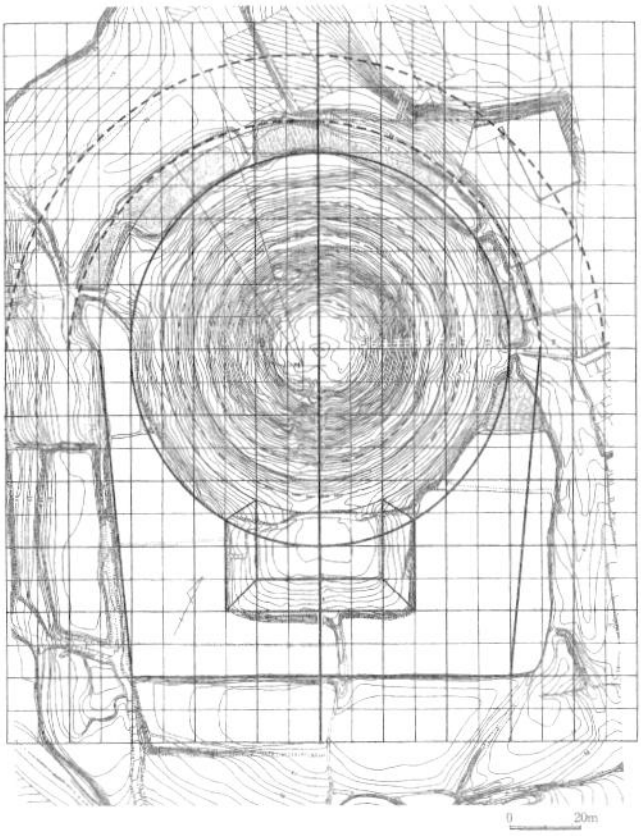

ルの奈良県の乙女山古墳（河合町）に近い形式であると考えた。しかし、同一規格とするには問題が多かった。

実は、二〇〇五年に刊行した『西都原古墳群』（日本の遺跡1、同成社）では、地中探査は開始したばかりであったので、男狭穂塚の墳長については古いデータを紹介している。また、次のように書いた。

「男狭穂塚の方壇部の形状を把握することは容易なことであると考えられるが、両古墳のとくに後円部側での周壕の関係については、地形的に高位の部分にあたり、全周せず、掘り抜いていないことも十分考えられる。低位部に当たる前方部のみを完掘して形を整えたとしても不思議はないことからすれば、両者の周壕の切り合いによる先後関係の判別は、埋葬主体部の調査や副葬品の詳細な編年観によらないかぎり、永遠の謎であるかもしれない。」

ここでは、私も暗黙の内に両者には、どちらかが先でどちらかが後というように相前後して築造されたと考えていたが、必ずしも時期差を求める必要はなく、同時築造という可能性を想定することがなかった。人間の発想の固定である。同時並行して築造される可能性、それも十分に成り立つのである。

乙女山古墳企画図（主丘部径78歩・106.9m ── 方格線間隔２単位）
（沼澤豊2006より）

帆立貝形古墳・周溝プラン分類表

時期 / プラン	4期	5期	6期	7期	8期	9期	10期
①倒卵形	6　楯塚	4　野毛大塚	6　鞍塚			6　若宮八幡北	
②馬蹄形		4　乙女山 4　池上		6　御願塚 9　供養塚 9　井ノ奥4号	9　大園 9　蕃上山		
③相似形		4　雷電山 8　女良塚	8　椿山				
④無花果形			2　三吉石塚 8　こうじ山			4　御塚 8　塚廻り4号	
⑤盾形				6　小立			
⑥眼球形			2　後野円山 2　公卿塚	4　久保田山	6 狛江亀塚		

古墳名頭の数字は突出部長の単位数。

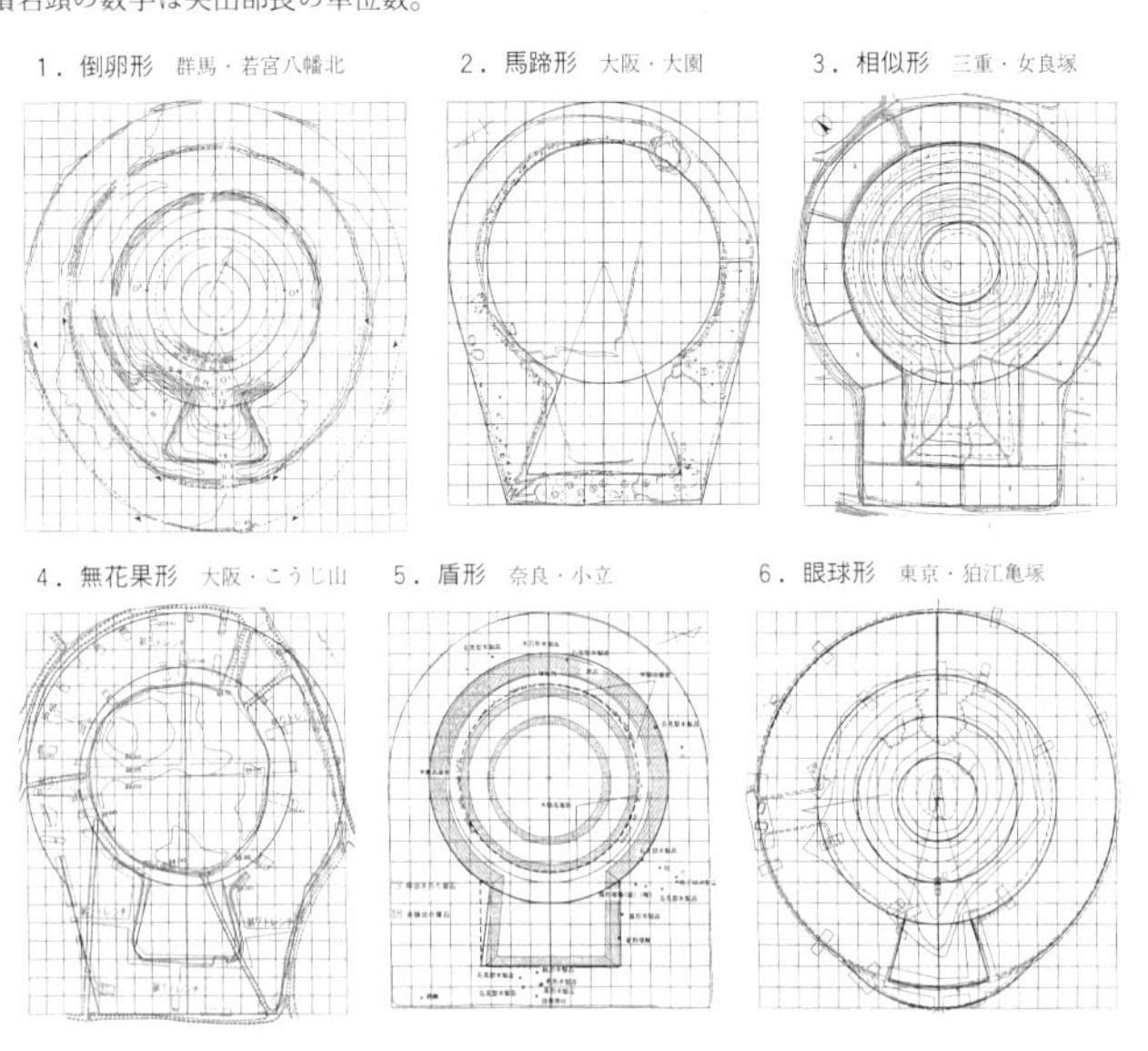

帆立貝形古墳・周溝プラン分類図

（沼澤豊「前方後円墳と帆立貝古墳」（2006年 雄山閣より）

明らかになった男狭穂塚の規格

今回の地中探査の結果、東側の第一周壕と第二周壕が集束する地点で、方壇部前面の根石と想定される反応が認められた。左右対称として東側の周壕の形状を西側に反映させ、根石の反応を追っていくと方壇部前面の線となることが理解された。

それを基に、千葉県立総南博物館長の沼澤豊氏の整理を参考にすると、同一規格と判断できる形式が存在する。墳形と周壕が同じ形状を示すことから相似形タイプと分類された帆立貝形古墳である。例として上げられているのは、墳長一〇〇メートルの三重県の女良塚（名張市）である。これらの帆立貝形古墳の規格には、沼澤氏によって詳細な検討が加えられ、細密な規格が整理されているが、ここでは単純に円丘部の径が方壇部の長さの三倍に規格された古墳であると理解して、男狭穂塚の墳長一七六メートル、円丘部径一三二メートル、方壇部長四四メートルという数値から、まさにこの規格に合致することが理解された。

女良塚古墳企画図（方格の線間隔 2 単位。太方格は 4 単位間隔）　（沼澤豊2006より）

男狭穂塚・女狭穂塚の規模

では、レーダー探査を中心とした地中探査の結果の意味するところはどうなのであろうか。

女狭穂塚の墳端部の北半分、南半分の一部、そして前方部の隅角や造り出し部を探査した結果、葺石の根石と思われる反応が見られた。その根石の反応の場所を確認すると、現状での墳端部より外に向かって数メートル広がっている。一六〇〇年程の歳月を経て腐植土や崩落土によって本来の古墳は地面下に埋もれていることになるので、本来の裾野が広がることは容易に理解されるであろう。

従って、「数メートル」の実数をどの程度想定するかによるが、墳長一七六メートルの女狭穂塚は両端数メートル広がったとして約一八〇メートル前後にはなるであろう。一方、男狭穂塚も方壇部前面の今回確認された根石から円丘部の見かけ上の墳端部までとして一七六メートルと測定したので、方壇部前面は根石の反応を基準としているが、円丘部の墳端部が数メートル広がると想定しなくてはならない。そうすれば、約一八〇メートルに近い数値が得られることになる。また、よく測量図を見ていけば、規格的に墳形が築かれるとしても精密機械のように築造されるのではなく、立地する地形に影響されることや、部分的には臨機応変に築造されることから、後円部・円丘部も正円ではなく、前方部・方壇部前端も歪な部分もあることから、センチ単位で測定しても有意義な数値とは言えない。

このことから、いずれにしてもこの両古墳は、一八〇メートル前後の同規模を規格して築造されたと考えてもよいであろう。

両塚の標準型式は？

女狭穂塚の標準型式は仲津山古墳

考古学の古墳時代を考える上で、大きな前提は、①前方後円墳は首長墓である、②その大きさは被葬者の生前の権力の大きさに比例する、この前提があって前方後円墳を指標にその変遷を辿ることによって、地域勢力の盛衰・変動などを捉えることができると考えるのである。

古墳が正確な規格によって形作られていた。そのためには、手本となる標準型式が必要である。古墳の中心は、巨大古墳の集中する畿内（ヤマト）とみなされている。それには、それなりの理由があるが、定型化した最初の前方後円墳が奈良県の箸墓（桜井市）と見られていること、巨大古墳が集中すること、古墳の外形ばかりではなく副葬品などや生活全般にわたる住居や土器等の道具も畿内に中心を持つと見られることなどである。

女狭穂塚が仲津山古墳を六割に縮小した相似形であることだけで、畿内と日向の間に密接な関係が成立していたと、考えるのは短絡的である。同時期の古墳で、仲津山古墳の同じ規格で築造された古墳は、何も女狭穂塚に限ったことではない。列島内でこの二基の古墳だけが同じ規格だとすれば、それは強烈なホットラインだと断定できるだろうが、宮崎県内でも一ッ瀬川を挟んだ新田原－祇園原古墳群の大久保塚や、茶臼原古墳群の児屋根塚も同じ規格であると考えられる。先の大きな前提を踏まえ、「密接な関係」は相互の規模に現されていると考える。つまり、仲津山古墳が仲津山「型」の中で最大規模であればそれを標準型式として、全国に相似形の古墳が造られた。そして、その中で少なくとも九州内で最大規模は女狭穂塚であることから、他の小さな相似形墳の被葬者に対して女狭穂塚の被葬者は、仲津山古墳の被葬者と「密接な関係」にあったと想定しているのである。

男狭穂塚の標準型式は男狭穂塚

では、女狭穂塚の標準型式が、仲津山古墳であれば、同じ論理でいけば男狭穂塚の標準型式は、男狭穂塚をおいて他にないことになる。女良塚と同規格と指摘されているのは、その他滋賀県の椿山古墳（栗東市）も同規模の墳長一〇〇メートルとして取り上げられている。円丘部径は、約七五メートル、方壇部の長さ約二五メートルである。

ただ、代表的な前方後円墳については測量図が作成されているものが多いが、小規模な古墳の多くは測量図が作成されておらず、これらは現在測量図が入手可能なものの中で考えられているので、その他測量図が作成されていない帆立貝形古墳も多く存在するはずである。

女良塚は墳長一〇〇メートル、大きさに被葬者の権力の大きさを見るのであれば、男狭穂塚の被葬者は、女良塚の被葬者に比して強大な権力をもつ人物であった。その人物の埋葬された帆立貝形古墳を標準型式として認めなくてどうしよう。

第三節

巨大古墳に眠る被葬者

古代日向の一大プロジェクト

天皇と太皇太后・皇太后・皇后の墳墓を「陵（みささぎ）」、その他の皇族は「墓」、神話・伝承で可能性がある墳墓を「参考地」と呼ぶ。そもそも、「皇霊の静謐（せいひつ）と安寧（あんねい）」を保つため、陵墓及び陵墓参考地は立入が厳しく制限されている。宮崎県で地中探査が実現できたのは、その前提に、これも初めてのことであったが、一九九七（平成九）年から実施した測量図の作成があった。大正時代の等高線一メートルの測量図からは読み取れなかった両古墳の形が、等高線二〇センチの詳細な測量図によって踏み込んで判断できるようになった。だが、一六〇〇年ほどの時を経て、当初の姿は土の下に埋もれ、厚いベールに覆われていることには変わりはない。確からしさに一歩近づいたけれど、まだ推定の域を出ない、という宿題は残されたままであった。

では、地中探査の成果によって、男狭穂塚・女狭穂塚の謎の何が解き明かされたのか。

この両古墳、前方後円墳と帆立貝形古墳と形を異にしながら、厳密な位置関係を計算して設定されていた。出土埴輪からは、両古墳とも五世紀の前半、男狭穂塚にやや新しい要素を見るとしても、ほぼ同時並行して造られたと考えられる。男狭穂塚二重目の壕は女狭穂塚一重目の壕とぎりぎり接する位置に設定され、それでも干渉し合わないようそれ以上に壕は造られなかった。逆に言えば、どちらかを掘り切れば、いずれかを壊すことになる。古墳としての基本的要件を満たしつつ、相成り立つために、調整されていたのである。

女狭穂塚は、仲津山古墳（大阪府藤井寺市）を六〇パーセントに縮小した相似形で造られている。一方、男狭穂塚の帆立貝形は多様である。しかし、方壇部の大きさが確実になり、円丘の径が方壇部の長さの三倍に設定されていることが分かった。女良塚（じょろうづか）（三重県名張市）などが同じ規格。古墳造りは正確な設計や約束事に基づく。だが、杓子定規ではない。地形の条件や築造者の裁量も認められていた。また、大王（天皇）陵のような巨大古墳は、生前から築造を始めていたと考えられている。女狭穂塚の規模でも、一日一〇〇〇人動員して年間二百日働いても二年半の歳月がかかる。やがてこの地に葬る人物のために、綿密な計画の下遂行されたのだ。

この両古墳の築造は、古代日向にとって一大プロジェクトであったはずである。では、五世紀前半の時期に、これを推進することのできた人物は誰であったのか。『古事記』『日本書紀』に登場する、名前が明記された唯一といってよい日向の豪族がいる。それは、仁徳天皇の妃となった髪長媛の父親・諸県君牛諸井である。この記述は、神話世界の物語ではない。外戚として権勢を振るった人物の存在を歴史的事実とみなければ、列島最大の帆立貝形古墳や九州最大の前方後円墳の存在は理解できない。

最先端の科学技術が、古代史の謎の読み解きを確かなものとしてくれたのである。

両古墳は計画的に築造された

男狭穂塚・女狭穂塚について、築造年代に迫ることのできる埴輪に関する資料が公表され、さらに女狭穂塚の墳形の企画論によって、少なくとも二十年ほど前からすると格段に論じうる資料は増えてはきた。しかし、肝心の男狭穂塚の墳形が不確定であることから、それに引きずられる形で、この両古墳は不当な扱いを受けてきた。

古墳時代を扱った概説書に、前方後円墳のベスト一〇〇などといった大きさランキングが掲載されても、女狭穂塚は全国四十八位としてほぼ評価を得たが、男狭穂塚の扱いは規模の確定はもとより、前方後円墳に分類すべきかも含めて、最長の数値の二一九メートルとして全国二十位にランクされることもあれば、ひどい時には男狭穂塚の名前がどこにも見当たらなかったり、ある著名な考古学者の本では、道連れにすっかり女狭穂塚も名前が消え去っていたり、と不当な扱いの事例には事欠かない。

こうしたことを踏まえれば、二〇〇四年から実施した地中探査は計り知れない成果をもたらしたのである。現在までに異論を聞かないので、少なくとも古墳の墳形について評価を定められたことが、何よりも大きな成果である。帆立貝形古墳を前方後円墳に分類するか否かは別の次元での整理が必要であるが、帆立貝形古墳では全国最大であること、この一言においても、故意か不作為かは別として、もはや忘れ去られることはなくなったであろう。

また、相互の周壕の状態から男狭穂塚・女狭穂塚は、相互に干渉することがないように計画的に築造されていたことは特に重要である。二つ近接して並ぶ遺構を調査する時、私たちは必ず、その先後関係に注目する。重なって、切り合って遺構が存在すれば古い遺構を新しい遺構が壊して成立することになるが、それを観察すれば先後関係を判断することができる。

近接する男狭穂塚と女狭穂塚、どちらが先に造られたのか。私自身、両者の間に前提として先後関係を想定して考えてきたが、必ずしも先後関係で捉える必要はないのだ。同時築造の可能性だってある。どちらかが先行して築造され、一方を破壊するなどして築造したとすれば、その両古墳の間に、つまりは被葬者の関係に何らかの劇的（ドラスティック）な関係を想定せざるを得ない。しかし、相互に計画的に位置づけられていたとすれば、相互の関係は正常（ノーマル）な関係として捉えることができる。

被葬者は髪長媛と牛諸井父娘

私は、男狭穂塚・女狭穂塚について五世紀前半の時期を当てることができると、埴輪資料によって考えられるようになってから、『記・紀』に登場する五世紀前半に想定できる仁徳天皇と日向出身の妃である髪長媛の存在に注目してきた。それは年代観から、考古学的事実と『記・紀』世界とを結びつけることが可能になることを意味していた。

だが、両古墳がどちらかを干渉し、破壊するなどで築造されていたとすれば、その間に劇的な関係を想定せざるを得なくなり、髪長媛とその父の諸県君牛諸井を被葬者として想定することに矛盾を生じることになる。しかし、相互に計画的・企画的に築造が行われたとすれば、この親子関係を被葬者として想定することには、矛盾はないと考えるのである。

また、親子の古墳築造を同時と考えるのは、古墳造りには数カ年を要したことから可能性の範囲にあると考える。被葬者の生前から古墳の築造が始まることも想定されるし、死した後も間髪を入れずに埋葬されるのではなく、「殯（もがり）」など死後一定の歳月をおくこともまた考えられるのである。古墳築造の年代は、築造開始から埋葬までに一定の時間幅が想定されることになる。

こうして両古墳の形状と関係が明確になったこと、これに近年明らかにされてきた両古墳や169・170・171号墳出土の埴輪の年代観を加えることによって、「自信」を持って想定した仁徳天皇の妃となった髪長媛とその父諸県君牛諸井の存在が、「確信」を持って位置付けられることになった。地中探査の最大の成果は、男狭穂塚・女狭穂塚を考古資料として正当に取り扱うべき舞台へと導き、スポットライトを当てたことにある。

語り継ぐ歴史
——あとがきにかえて——

親から子供へと、歴史は語り継がれなければならない。私は、何時もその事を問い続けてきた。

私が歴史に興味を持つようになったのには、父親の存在が大きかった。とはいえ、影響を受けた、といった素直な関係ではなく、むしろ歴史認識を挟んで父親との間に確執が生じたから、と言った方がよい。歴史分野の中でも、特に考古学に惹かれたのは、自分史を対象化できると考えたからである。

個人的に『記・紀』神話の話を良く耳にした。むしろ、同世代の誰よりも幼年期から触れる機会を多くしたと言える。私は、毎朝父親の奏上する祝詞（のりと）を聞いて育った。神話世界の入口は、祝詞の中にあった。最初は理解できなかった詞（ことば）の数々も、幼児が言語を習得するように、何時しか脳裏に像を結んでいた。しかし、それは真正面に向き合うと、私には上手く嚥下することのできない世界であった。資質のレベルなのか、それが何であるのかは良く分からない。

子供の頃からそうした環境の中で育ったが、子供にも理解できる「歴史」というものがあるだろうか、と私は何時も疑問に思ってきた。博物館の説明文などを小学校高学年程度に設定することなどは、無意味だと考えている。せめて中学生レベルが必要である。断っておくが、低いレベルを想定しているのではなく、中学生の時に考古学を志した私を基準にして、中学生のレベルとは決して侮れないレベルを想定している。

子供は、大人の後ろ姿を見ながら、早く大人になりたいと考える。そうした、子供と大人の緊張関係の中で、歴史を伝えていく必要があるのだ。

とは言え、二〇〇四年四月開館直後の西都原考古博物館を見学した、小学校四年生の宮崎日日新聞の投書欄への投稿を、最も良質な「褒め言葉」として受け止めている。書き出しは、「おばあちゃんと私で、西都原考古博物館に行きました。」である。こうして、世代を繋いで来館してくれたことが、何よりも嬉しい。さらに、「途中、『人々が生きてきて、私たちに今をじゅんびしてくれた』と書いてありました。私は、この言葉に感動しました。」と書き継いでいる。引用された文章は、展示室の中でもなかなか目に触れない、最後のコーナーに書き込んだ文章であったが、それに目を留めてくれたのである。

展示室全体の説明や解説などは、「親から子に伝える歴史」という基本姿勢で書き綴った。その一部、そこに、私は次のように書いていたのである。

「君たちの時代の中を、君たちは、これからも歩み続ける。営々と悠久の時間を積み重ねて人々が生きてきて、私たちに今を準備してくれた。それらを受け継いで、私たちから君たちに残せたものが、未来にとって価値あるものであることを願っている。」

歴史とはそのように受け継がれていくものだと考えている。それを受け継ぐには、年齢を重ねたそれなりの成熟が必要である。そして、世代を繋いで受け継がれることが必要なのだ。その事をお座なりにして、「子供にでも分かる歴史」など有りはしないのである。それを踏まえて、いずれ本当に「子供でも分かる歴史」の本を創ってみたいものである。

ところで、サハラさんから手紙をもらった。幾つかの論文の抜き刷りをお送りした返事であった。一九八七年のことである。四百字詰め原稿用紙の二行分を占領する特徴的な大きな文字が、青色のインクの太い万年筆で書かれていた。「日本考古学には、売れる文章を書ける人はすくないのですが、貴兄がそうと知りました。」

誤解のないように、残念ながらサハラさんから発せられている以上、これは「褒め言葉」ではない。考古学を面白く分かりやすくしよう、と提唱されていたサハラさんから「分かりやすい」ではないのだから、評価でないのは明らかである。また、売れた記憶もない。

むしろ私は、自戒すべき指摘として受け止めてきた。しかし、「分かりやすい」ことと平面的であることの見極めは難しい。歴史観・世界観を鮮明にしながら、躍動的（ダイナミック）に歴史を表現できないものか。その事を求めて、時に行き詰まり、時に挫折もした。そうした、私が歴史叙述に込めようとした想いを捉えて、先のような言葉を送っていただいたのだと思う。

歴史の研究にとって最後の課題は、叙述である。そして、語り継ぐことである。語り継ぐ起点となった私の父は、西都原考古博物館の開館を待たずに、その二カ月前に他界した。父から受け継ぎ私の世界としたものを、子供たちへと語り継ぐ本書を、亡き父に捧げたい。

二〇〇七年十月

北郷　泰道

〔参考文献〕

青木和夫ほか校注『続日本紀　一』新日本古典文学大系　岩波書店　一九九八年
上田正昭『日本文化の基層研究』学生社　二〇〇三年
大林太良『神話の系譜』講談社学術文庫　講談社　一九九一年
倉野憲司校注『古事記』岩波文庫　岩波書店　一九六三年
坂本太郎ほか校注『日本書紀　上』日本古典文学大系　岩波書店　一九六七年
新訂増補国史大系『延喜式　後篇』吉川弘文館　一九七九年
新東晃一ほか『先史・古代の鹿児島　遺跡解説（通史編）』鹿児島県教育委員会　二〇〇六年
中村明蔵『新訂　隼人の研究』丸山学芸図書　一九九三年
北郷泰道『熊襲・隼人の原像』吉川弘文館　一九九四年
北郷泰道『西都原古墳群』日本の遺跡1　同成社　二〇〇五年
北郷泰道ほか『海を渡った日本文化』鉱脈社　二〇〇六年

〔写真提供・協力〕

〔日本〕出雲市教育委員会・えびの市教育委員会・鹿児島県立埋蔵文化財センター・鹿児島大学総合研究博物館・清武町教育委員会・宮内庁・新富町教育委員会・辰馬考古資料館・東京国立博物館・日南市教育委員会・前田育徳会・宮崎県埋蔵文化財センター・宮崎県立西都原考古博物館・宮崎市教育委員会

〔韓国〕国立公州博物館・国立中央博物館・忠清文化財研究院

[著者略歴]

北郷　泰道（ほんごう　ひろみち）

1953（昭和28）年、宮崎県都城市生まれ
立正大学文学部史学科考古学専攻卒業
1980（昭和55）年度から、宮崎県教育庁文化課に勤務し、宮崎学園都市遺跡群発掘調査を担当。以後県内の発掘調査に従事。
1993（平成５）・1994（平成６）年度、「西都原古墳群保存整備活用に関する基本計画」（1995年３月）の策定を担当。
1995（平成７）年度、歴史ロマン再生事業による西都原古墳群の整備・活用事業を担当。
1997（平成９）年度以降、埋蔵文化財係長として県内の埋蔵文化財発掘調査の調整に当たると共に、同整備・活用事業を総括。
2000（平成12）年度から、西都原対策班主幹として西都原古墳群の整備・活用事業と西都原資料館再編整備事業を総括。
宮崎公立大学非常勤講師・放送大学非常勤講師
現在、宮崎県教育庁文化財課専門主幹

主要著書等

『熊襲・隼人の原像―古代日向の陰影―』（吉川弘文館、1994年）第５回宮日出版文化賞受賞、『西都原古墳群―南九州屈指の大古墳群―』（同成社、2005年）、『海を渡った日本文化』共著（鉱脈社、2006年）第17回宮日出版文化賞受賞、「北郷氏における中世城郭とその社会―山田城跡と自分史―」（『宮崎考古』石川恒太郎先生追悼特集号、宮崎考古学会、1992年）、「武装した女性たち」（『考古学研究』、考古学研究会、1994年）など

みやざき文庫50

古代日向・神話と歴史の間

2007年12月16日初版発行
2021年８月12日５刷発行

著　者　北郷 泰道

発行者　川口 敦己

発行所　鉱脈社
宮崎市田代町263番地　郵便番号 880-8551
電話0985-25-1758

印刷
製本　有限会社　鉱脈社

みやざき文庫

いま、宮崎の古代史が面白い

宮崎の神話伝承 ——その舞台55ガイド

甲斐亮典 著

神社伝承を中心に民間説話も含めて55話にまとめ、記紀の記述にそって五つの柱で展開。現地を訪ねての写真と地図も入れ、この一冊で日向神話とその背景のすべてがわかると評判のベストセラー。

１４７０円

「弥五郎どん」は何者か 南九州の《大人》人形行事の民俗学的研究

山口保明 著

宮崎県山之口町に伝わる〈大人〉人形・「弥五郎どん」行事の起源は？ 霧島信仰や隼人伝承、農耕神事などの民族的舞台をさぐり、継承してきた南九州の地の心性を浮かびあがらせる。注目の労作。

２１００円

もうひとつの日向神話 その後の「海幸・山幸」物語

鶴ヶ野勉 著

「誰の、誰による、誰のための」日本神話か？ 〝古事記〟を作品として読みときつつ、その成立の時代に身をおいて、日向神話に新たな光をあてる。作家の想像力が南九州をめぐる闇を解き放つ。

１４７０円

（定価はいずれも税込）